JN119136

図書館のしごと
よりよい利用をサポートするために

第2版

HOW
LIBRARY WORKS
IN JAPAN

For Supporting Its Better Use

 国際交流基金
JAPANFOUNDATION 関西国際センター

読書工房

監修のことば

　書物の集積と管理の役割をもつ図書館という存在は、古代から現代まで脈々と続いてきた。現在、図書館は世界中に存在する。図書館のもつ存在意義は、それを取り巻く社会環境に大きく依拠しており、図書館を支える司書に求められる役割に影響を与えている。司書が自らの役割を理解し、その時代に合ったサービスに対応していくためには絶えざる研修・自己研鑽が必須である。

　本書は、独立行政法人国際交流基金関西国際センターにおいて「研修に参加する海外の司書、並びに海外で日本語資料を扱う司書が日本の図書館事情や図書館業務に関する知識を得て、業務に役立てる」ことを出発点として、企画されたものである。本書は、企画から4年以上かけて完成された。これほど時間を要したのは、日本の図書館について理解するために必要な事項の選定と、それらをどのような日本語で表現するのかを細かく検討しなければならなかったためである。執筆にかかわったひとり一人が、監修者の意見を踏まえ、わかりやすくなるよう粘り強く、検討していただいたと思う。こうしたプロセスを経て本書は出来上がった。

　本書の特徴は、日本の図書館の現状や仕組みを容易な日本語表現でまとめている点と日本十進分類法やレファレンスツールの利用・活用について解説した実務編を備えている点である。これら2つの特徴は、図書館について学びたい外国人だけではなく、図書館について初めて学ぶ日本人の入門書としても適しているといえるだろう。また、司書課程を履修する学生たちが予習・復習する際に手元に置き、図書館に関するイメージをつかむため適宜参照するのに最適な参考書にもなると考えている。監修者としても、ぜひ多くの方に手に取っていただきたいと思う。

監修者を代表して　中山愛理

A Word from the Editor

Libraries, with their role in the accumulation and management of books, have existed from ancient times through to the present day. Nowadays, libraries are found all over the world. The significance of the existence of libraries depends largely upon the surrounding social environment and so has an influence on the role of the librarians who sustain them. Continuous training and self-improvement are essential in order for librarians to understand their own role and to ensure they can provide a service to suit the times.

The planning of this book began with the premise that overseas librarians attending the training course offered by the Japan Foundation Japanese-Language Institute Kansai, as well as library employees who work with Japanese materials in foreign countries, could gain knowledge about conditions and duties in Japan's libraries useful for their work. The book was completed after more than 4 years of work following the initial planning stage. A great deal of time was taken over the selection of key items necessary to enhance readers' understanding of libraries in Japan, as well as careful consideration of the Japanese expressions that should be used to convey these ideas. Each person involved in the writing worked tirelessly, under the supervision of the editors, to make sure the language used was easy to understand. Through this process, the book was completed.

The main features of this book are two-fold. Firstly, it presents an overview of the present situation and structure of Japan's libraries in simple Japanese. Secondly, it provides a compilation of practical information including explanations regarding the use of Nippon Decimal Classification(NDC) system and reference tools. These two features mean that the book may be suitable not only for foreigners who want to learn more about Japan's libraries but also as an introductory handbook for Japanese studying about libraries for the first time. In addition, students enrolled on courses for librarians should find this a valuable reference work to help grasp the idea of how a library functions and so may like to keep it close to hand for preparation study or review purposes. Personally, as one of the editors, I hope as many people as possible will enjoy using this book.

Manari Nakayama, on behalf of the editorial supervisors

はじめに

　独立行政法人国際交流基金関西国際センター（The Japan Foundation Japanese-Language Institute, Kansai）では、主にアジアや旧ソ連東欧地域などの図書館で日本に関する業務を担当する司書を日本へ招聘し、6ヶ月の日本語研修を実施してきました。研修では、日本語学習とともに、国立国会図書館・公共図書館・大学図書館などを訪問し、見学や実習を行います。その事前準備のために作成した「日本の図書館事情」や「図書館語彙」などの教材が、国内外に広く日本の図書館事情を紹介する入門書になるのではという助言を受け、このたび出版の運びとなりました。

　本書はこのような経緯で生まれたため、日本の図書館に関する基礎的な内容から実務に関する情報まで、幅広い内容を取り上げています。また、図書館事情の異なる海外の司書に対応するため、日本人司書にとってはごく当たり前の事柄にも説明を加えました。さらに日本人司書との業務交流の場で円滑なコミュニケーションが図れるよう、キーワードとなる専門語彙は使用しましたが、難しい語彙や文型はできるだけ使わないようにし、日本語教育における中級レベル以上の漢字にはすべてルビを振りました。また、具体例を示したり、図や写真、イラストを多く使用したりすることで、より理解しやすくなるよう工夫しました。本書が、海外の司書の方々に日本の図書館事情を紹介するだけにとどまらず、何らかの形で業務に役立てていただける資料となることを願っています。また、司書の仕事に関心のある日本国内の中高生や、司書を志す大学生の方々にも入門書としてご利用いただければ幸いです。

　この教材を作成するにあたって、監修をしていただいた実践女子大学の小林卓先生、大妻女子大学短期大学部の中山愛理先生、鹿児島女子短期大学の川戸理恵子先生より、ご指導並びに力強いご支援を頂戴しました。また司書研修の図書館実習でお世話になった川﨑千加先生をはじめ、国立国会図書館、大阪市立中央図書館など多くの図書館関係者の皆様にもご協力を賜りました。また、出版に際しては、読書工房代表の成松一郎氏に大変お世話になりました。心よりお礼申し上げます。

2013年5月
執筆者一同

もくじ

8章 図書館サービスと著作権
LIBRARY SERVICES AND COPYRIGHT ·································· 123

図書館の役割

1 図書館とは······What is library?

　図書館には、図書や雑誌、新聞など、多くの資料があります。また、近年は技術の進歩によって、DVD や CD、インターネット上のウェブサイトや電子ジャーナルなど、いろいろな形の資料が集められるようになりました。

　このような資料には、多くの情報が記録されています。その情報は過去に生きた人々や現在を生きる人々によって生み出された知的財産であり、次の世代に伝えられていくべきものです。図書館はこの知的財産を社会全体で共有できるよう、資料を収集、整理、保存した上で、必要としている人々に広く提供しているところなのです。

収集　　　　　　　整理　　　　　　　　　　保存　　　　利用

（1）資料の保存から資料の利用・提供へ
from the preservation of materials to the services for public use of materials

　図書館というものができた古代や中世の時代には、文字を読める人が多くはいませんでした。そのため、そのころの図書館の働きの中心は、資料の提供よりも、資料を整理・保存して、次の世代に残すことにありました。しかし、時代の流れとともに文字を読める人が多くなり、封建的な社会から近代的な社会へと移り変わっていくにしたがって、図書館は人々に広く利用されるための施設へと変わっていきました。

（2）生涯学習施設・社会教育施設としての図書館
library as lifelong learning/social education center

　19 世紀後半から 20 世紀になると、図書館は調査や研究のためだけでなく、人々が教養を高めたり、レクリエーションなどを行ったりするための施設として利用されるようになっていきました。（P197「図書館法」第2条）

15

これは、図書館が一生を通じて学習を続けていくことができる「生涯学習」のための施設の一つと考えられるようになったこととも関係があります。この「生涯学習」という言葉は、1960年代から1980年代に広がっていった教育改革の理念を表す言葉で、学校教育で基礎的な学力を身につけた後は、それぞれの責任で生涯を通じて学習が行われるべきだという考えを表しています。日本では、「生涯学習」を進めるための法律（「生涯学習の振興のための施設の推進体制等の整備に関する法律」）もつくられ、教育基本法でも「生涯学習の理念」が取り上げられるなど、21世紀に入ってますます学習の大切さが認識され、図書館の社会的な役割も大きくなっています。特に公共図書館は、博物館や公民館と同じように、社会教育施設として中心的な役割を果たすことが求められています。

 「図書館法」第2条 "Library Law" Article 2 （☞ 付録P197）

　この法律において「図書館」とは、図書、記録その他必要な資料を収集し、整理し、保存して、一般公衆の利用に供し、その教養、調査研究、レクリエーション等に資することを目的とする施設 [中略] をいう。

---

❷ 図書館を構成するもの ……………………………… What constitutes a library?

　図書館が資料の「収集」「整理」「保存」「提供」という働きをするために、図書館には図書や雑誌、新聞、DVDやCD、電子ジャーナルのようないろいろな「資料」と、それらを整理し利用したり保存したりするための「施設・設備」があります。また、図書館には資料を整理するとともに、利用者が求める資料を適切に提供できる専門的知識とスキルを持った「図書館員」が必要です。そして、これらの「資料」「施設・設備」「図書館員」は、「利用者」のいろいろなニーズに応えるために用いられるものだと言えます。

資料　　　　　施設・設備　　　　　図書館員

利用者

　このような考え方は、図書館が日本国憲法で定められた「表現の自由」と人々の「知る権利」を守り、実現させる機関でなければならないという図書館の理念（「図書館の自由に関する宣言」）によって支えられています。

 「図書館の自由に関する宣言」（1979 年改訂）

　　"Statement on Intellectual Freedom in Libraries" (revised in 1979)　（☞付録 P194）

　図書館は、基本的人権のひとつとして知る自由をもつ国民に、資料と施設を提供することをもっとも重要な任務とする。

2．すべての国民は、いつでもその必要とする資料を入手し利用する権利を有する。この権利を社会的に保障することは、すなわち知る自由を保障することである。図書館は、まさにこのことに責任を負う機関である。

2章

LIBRARY TYPES AND FUNCTIONS

図書館の種類と機能

いろいろな図書館　Various Types of Libraries

　図書館には、国立国会図書館、公共図書館、大学図書館、学校図書館、専門図書館などいろいろな種類があり、それぞれに特徴的な働きがあります。

国立国会図書館

国立国会図書館東京本館

公共図書館

東京都立中央図書館

大学図書館

慶應義塾大学　三田メディアセンター

専門図書館

日本貿易振興機構（ジェトロ）アジア経済研究所図書館

国立国会図書館 National Diet Library（NDL）

1 国立国会図書館とは ……………………………………………… What is the NDL?

　国立国会図書館は、1948年（昭和23年）に設立された日本でただ一つの国立図書館で、一番大きい図書館です。

2 図書館の構成 ……………………………………………… The Library System

　国立国会図書館には、中央の図書館（東京本館、関西館）のほかに、国際子ども図書館、各府省庁と最高裁判所にある支部図書館27館があります。

支部図書館

東京本館
© 663highland

関西館

国際子ども図書館

総務省統計図書館

農林水産省図書館 農林水産政策研究所分館

3 国立国会図書館の役割 ……………………………………………… The NDL's Roles

　国立国会図書館は、その名前からもわかるように「国立図書館」と「国会図書館」という二つの役割を持っています。ですから、国会や行政・司法の仕事をしている人々のための図書館であるだけでなく、多くの人々のための図書館でもあります。

（1）国会へのサービス　services for the Diet

国会議員や国会で働く人々のために調査をし、法律をつくるときに参考になる情報を提供しています。また、図書館資料の閲覧、貸出、コピー、レファレンスなどのサービスも行っています。

（2）行政・司法へのサービス　services for the Administration and the Judiciary

国立国会図書館は、内閣府や外務省や金融庁などの各府省庁や最高裁判所に、支部図書館を持っています。行政や司法の仕事をサポートするために、資料の閲覧、貸出、コピー、レファレンスサービスなどをしています。

内閣府

外務省

（3）そのほかの人々へのサービス　services for others

18歳以上の人は、だれでも利用できます。

国立国会図書館は、ほとんどの資料が書庫にある閉架式図書館です。

図書館の中で資料を見たり、コピーをしたりすることはできますが、個人への貸出はしていません。ただ、ほかの図書館や機関から頼まれた場合には、

Notes

利用者が自由に資料を手にすることができる図書館のことは、「開架式図書館」と言います。

貸出をしています。

　閲覧室の OPAC で検索して、見たい資料があれば、カウンターで資料を受け取ることができます。

図書カウンター、総合案内

目録ホール

4 国立国会図書館の業務 ·················· The NDL's Missions

　国立国会図書館では、(1) 資料の収集、(2) 目録・書誌・索引の作成、(3) 資料の保存、(4) 図書館協力、(5) 電子図書館事業などの業務を行っています。

(1) 資料の収集　acquisition of materials

　国立国会図書館では、納本制度によって広く日本国内の出版物（図書・地図・録音資料・マイクロフィルム・CD-ROM など）を集めています。また、利用の多い図書や雑誌、新聞は複数、購入したり、国際交換や寄贈によって外国政府の出版物を集めたりしています。

Point

「納本制度」　"The Legal Deposit System"

　国立国会図書館は、国でただ一つの国立図書館なので、日本国内の出版物を広く収集、保存し、提供するという役割があります。そのため、国立国会図書館法で決められた「納本制度」という制度があって、出版社は日本国内で新しく出版すると、その出版物をすべて一部ずつ国立国会図書館に納入しなければなりません。このとき、出版社には出版物の 50％のお金が支払われています。また、国や地方公共団体の出版物は複数部、国立国会図書館に納入しなければならないことになっています。

（2）目録・書誌・索引の作成　preparing catalogs, bibliographic data and indexes

国立国会図書館では、集めた資料から目録や書誌情報や索引をつくって、情報を提供しています。

① 『国立国会図書館検索・申込オンラインサービス』 "国立国会図書館オンライン"
国立国会図書館の蔵書目録です。インターネット上で検索することができます。

② 『全国書誌提供サービス』 "Japanese National Bibliography"
国立国会図書館が集めた国内の出版物や、外国で出された日本語の出版物の書誌情報（全国書誌）を国立国会図書館オンラインで提供しています。

Point

「JAPAN/MARC」

全国書誌を機械が読み取れる形（機械可読目録：Machine Readable Catalog）にして、ほかの図書館が同じ資料を持っているとき、データをそのまま利用できるようにしたものです。これをDVD-ROMやCD-ROMにしたものが、J-BISC（Japan Biblio disc）です。

---

③ 『雑誌記事索引』 "Japanese Periodical Indexes"
日本国内の主要な雑誌に掲載された論文・記事を探すための索引データベースです。インターネット上の国立国会図書館オンライン（国立国会図書館検索・申込オンラインサービス）などで検索することができます。

④ 『日本法令索引』 "Index Database to Japanese Laws, Regulations and Bills"
https://hourei.ndl.go.jp/
1867年から現在までの法令について調べるための索引データベースです。また、法令についての話し合いを記録した国会会議録をインターネット上で見ることができます。

（3）資料の保存　preservation of materials

　国立国会図書館には、集めた資料を保存し、次の時代に伝えるという役割があります。そのため、古くなって切れたり破れたりした資料の修復をしたり、資料をマイクロフィルム化したりして、できるだけオリジナルに近い状態で保存できるようにしています。

（4）図書館協力　cooperation with other libraries

　国立国会図書館では、日本国内の図書館のためのサービスだけでなく、外国の図書館とも協力しながら、いろいろなサービスや事業を行っています。

①日本国内での協力　domestic cooperation

★貸出・コピー、レファレンスの協力
cooperation for services of loan, photo-duplication, and reference
　国立国会図書館には「図書館のための図書館」という役割があるので、その図書館だけで利用者が求めるサービスができない場合に、図書館に対して貸出やコピー、レファレンスなどのサービスをしています。

★都道府県立図書館とのネットワークシステム
network system in cooperation with prefecture libraries
　国立国会図書館は都道府県立図書館などとネットワークをつくっています。それらの図書館にある日本語の図書は、国立国会図書館サーチで一度に検索することができます。

★いろいろな総合目録の作成　making various types of comprehensive catalogs
　国立国会図書館では『点字図書・録音図書全国総合目録』をつくり、全国の図書館などがつくった点字図書や録音図書を検索することができるようにしています。また、次のようなデータベースもつくっていて、これらは国立国会図書館サーチで検索できるようになっています。

> ▶『ゆにかねっと』（全国の都道府県立図書館・政令市立中央図書館・国立国会図書館にある和図書のデータベース）
> ▶『全国新聞総合目録データベース』　　▶『児童書総合目録』

★レファレンスのための協同データベースの作成
creating the cooperative database for reference services
　全国の図書館のレファレンスサービスの記録や、情報の調べ方の案内をデータベース化した『レファレンス協同データベース』をつくり、インターネットで情報を提供しています。

★障害者のための資料作成　preparing materials for disabled people
　障害者のための学術文献の録音図書をつくり、全国の図書館へ貸し出しています。

★**研修会や調査・研究の実施**　holding workshops and conducting surveys and research

　　全国の図書館員のための研修会を開いたり、図書館
情報学についての調査・研究をしたりしています。

②**国際協力**　international cooperation

　　世界のいろいろな国の図書館と出版物の交換や、業務交流をしています。
　　また国立国会図書館はIFLA（国際図書館連盟）が1986年に始めた資料保存の「コア・
プログラム」（Preservation and Conservation；PAC）のアジア地域センターになって
いるので、アジアの国々に対して資料の保存についての情報サービスや研修なども行ってい
ます。

（5）電子図書館事業　electronic library

　　国立国会図書館は、いつでもだれでもどこからでもインターネットを使って情報にアクセスで
きるように、電子化（デジタル化）した資料（一次資料）や目録や索引などの資料についての情報
（二次資料）をつくり、提供しています。

①電子化した資料（一次資料）　digitized materials（primary source）

　▸『国立国会図書館デジタルコレクション』　https://dl.ndl.go.jp/
　　：国立国会図書館などにある貴重書、図書、雑誌、新聞、音源資料、インターネット資料
　　　などを電子化したもの
　▸『国会会議録検索システム』　https://kokkai.ndl.go.jp/
　　：第一回国会（昭和22年）から現在までの国会の会議録の全文テキストと画像
　▸『帝国議会会議録検索システム』　https://teikokugikai-i.ndl.go.jp/
　　：明治23年から昭和22年までの帝国議会の速記録の画像

②目録や索引などの資料についての情報（二次資料）

information on catalogs and indexes（secondary source）

　▸『Dnavi（データベース・ナビゲーション・サービス）』（国立国会図書館デジタルコレクション）
　　：利用者が見たいデータベースを探せるように、ナビゲーション（案内）するサービス

③インターネット資料の収集・保存事業

acquisition and preservation of online materials

　　近年、いろいろな重要な資料をインターネット上で公開している機関が増えています。

そこで国立国会図書館は、国の機関や地方自治体などがインターネット上で公開している資料を収集・保存し、提供するサービスを行っています。

▶『WARP（インターネット資料収集保存事業）』https://warp.da.ndl.go.jp/

(6)『国立国会図書館サーチ』　"NDL Search"　　https://iss.ndl.go.jp/

　国立国会図書館が 2012 年（平成 24 年）1 月から提供しているポータルサイトです。このサイトから、国立国会図書館にある資料だけでなく、全国の都道府県立図書館や国立情報学研究所（NII）などが提供している書誌情報や、電子化された資料、レファレンス情報などを検索することができます。

国立国会図書館の歩み

History of the NDL

(1) 最初の国立の図書館「書籍館」：1872 年

"Shojakukan", the first national library in 1872

　日本ではじめて国立の図書館「書籍館」ができたのは、1872 年（明治 5 年）のことです。東京の湯島というところにあった旧昌平坂学問所（＝江戸幕府の教育・研究施設）の講堂と蔵書を受け継いで開館しました。

　このころの日本は江戸時代から明治時代という新しい時代に変わり、急いで近代的な国をつくろうとしていました。そのため、新しい政府は政治や経済、社会のシステムを大きく変えました。

　また、近代化を進めるため、積極的にアメリカやヨーロッパの進んだ文化やシステムを取り入れようとしました。広く多くの人々が利用できる図書館「書籍館」が文部省（現在の文部科学省）によってつくられたのも、そのような時代の変化の中で起きたことでした。

昌平坂学問所大正殿

Point

多くの人が利用できる、有料の図書館
library for wider use but with entrance fee

　江戸時代までの日本にも、たしかに図書館のようなところはありました。人々は、お寺や神社が集めた蔵書や、貴族や武士や学者が個人で集めた蔵書（＝「文庫」）、貸本屋などを利用して、読書を楽しんでいたのです。でも一部の人しか利用できなかったり、利用するときにはお金を払ったりしなければなりませんでした。ですから、江戸時代までの日本には、その当時のアメリカやヨーロッパにあったような、税金で運営された、無料でだれもが利用できる「図書館」というものはなかったのです。

　1872年（明治5年）に新しくつくられた国の図書館「書籍館」も、広く人々が利用できるように公開されてはいたのですが、利用にはお金が必要でした。

Point

「書籍館」と「図書館」
"Shojakukan"and "Toshokan"（Library）

　明治時代のはじめにはまだ「図書館」という言葉はなく、「書籍館」という言葉が使われていました。これはそのころのアメリカやヨーロッパの図書館を見て、その様子を報告した人がつくった言葉です。多くの図書が広く利用されている図書館を見て、それまでの日本にあった「文庫」とはまた違うものがあるということを伝えたかったのかもしれません。

　一方、「図書館」という言葉が使われるようになったのは、1877年（明治10年）に東京大学に図書館がつくられたときからです。その後しばらくこの言葉は大学図書館に対してだけ使われていましたが、1899年（明治32年）に日本ではじめて「図書館」について定めた法律「図書館令」ができてからは、公式な言葉として広く使われるようになっていきました。そして1900年代になると「書籍館」という言葉はあまり使われなくなりました。

(2)「帝国図書館」：1897年　"The Imperial Library" in 1897

　「書籍館」は1880年（明治13年）に「東京図書館」という名前に変わり、1885年（明治18年）には上野にあった教育博物館の図書室を使うことになりました。

　1897年（明治30年）には「帝国図書館官制」によって国立の図書館として正式に決められ、「帝国図書館」という名前になりましたが、上野公園内に新しく建てられた図書館が実際に開館したのは1906年（明治39年）のことでした。しかも経済的な理由で、図書館の建物は予定の4分の1しかできていないという状態でした。こんなわけで、日本

の国立の図書館の最初の約30年は、当時のアメリカやヨーロッパの国立図書館とは比べものにならないような状態だったのです。

その後、蔵書は少しずつ増えていき、第二次世界大戦前には100万冊以上の蔵書を持つ、日本で最大の図書館になっていきました。

(3) 国立国会図書館：1948年　National Diet Library in 1948

1945年（昭和20年）に第二次世界大戦が終わった後、日本は連合国軍によって民主化が進められました。まず1948年（昭和23年）2月にアメリカ議会図書館をモデルに「国立国会図書館法」がつくられました。そして6月に「国立図書館」と「国会図書館」の二つの役割を持つ図書館として、国立国会図書館は開設されました。

現在の迎賓館がある旧赤坂離宮内に設立されました。

①本館の完成　Completion of the Main Building

1968年（昭和43年）には、東京の永田町に現在の本館が完成し、ちょうどこのころに国立国会図書館分類表（NDLC）・国立国会図書館件名標目表（NDSLH）など、資料整理に必要なツールもできました。また1969年（昭和44年）には業務の機械化のために、システム開発も始めることになりました。その後、現在使われている『日本全国書誌』やJAPAN/MARCなどを通して、書誌情報が広く提供されるようになっていきました。

②新館、国立国会図書館関西館・国際子ども図書館の完成

Completion of the Annex, the Kansai-kan, and the International Library of Children's Literature

蔵書がだんだん増えていったので、1986年（昭和61年）には本館の北側に地下4階、地上8階の新館が建てられました。これで、本館とあわせて1200万冊の資料が収められるようになりました。

しかし、これでも21世紀のはじめには書庫スペースが足りなくなるだろうということで、2002年（平成14年）に京都に「国立国会図書館関西館」を建て、書庫スペースを増やすとともに、高度な情報通信技術を使った情報提供サービスに力を入れていくことになりました。

また、「国立国会図書館関西館」だけでなく、子どものための図書館をつくることも1995年ごろから計画していました。そして、2002年（平成14年）には支部上野図書館の建物を利用して「国際子ども図書館」を開館し、子どものための図書館として、また学校図書館や公共図書館をサポートする図書館として、中心的な働きをすることになりました。

国立国会図書館新館

国際子ども図書館の館内

書籍館から現在の国立国会図書館に至るまで
Chronological Table of the NDL's History
（from "Shojakukan" to the present NDL）

国立図書館の流れ	国会図書館の流れ
1872年　湯島に「書籍館」ができる。（有料） 1875年　「東京書籍館」になる。（無料） 1880年　「東京図書館」になる。（無料） 1885年　上野へ移る。「東京教育博物館」といっしょになる。（有料） 1897年　「帝国図書館」ができる。（有料） 1947年　「国立図書館」になる。（有料）	 1889年　衆議院、貴族院に図書室ができる。 1900年　「衆議院図書館」ができる。

「国立国会図書館」へ
1948年　国立国会図書館法ができる。 　　　　　赤坂離宮に「国立国会図書館」ができる。（無料） 　1949年　国立図書館が「国立国会図書館支部上野図書館」になる。（無料） 　1961年　永田町に本館ができる。 　1986年　新館が建てられる。 　2002年　「国際子ども図書館」ができる。 　　　　　「国立国会図書館関西館」ができる

公共図書館　Public Libraries

大阪市立中央図書館

1 公共図書館とは ·· What is public library?

　大阪府や大阪市などのような地方自治体が運営している図書館を公共図書館と言います。公共図書館には、都道府県立図書館、市区町村立図書館があります。

Notes

図書館法では、自治体が運営している図書館を「公立図書館」と言いますが、広く一般的に「公共図書館」という言葉が使われているので、ここでは「公共図書館」を使うことにします。

2 公共図書館の役割 ······································ Public Library's Roles

　公共図書館は、その地域に住んだり、通勤・通学したりしている人々のための図書館です。ですから子どもからお年寄りまでたくさんの人々が図書館に集まり、そこでほしい情報を見つけたり、学習や交流をしたりしています。つまり、公共図書館は地域全体の「情報センター」、「文化・交流の場」という役割を持っているのです。

（1）地域の情報センター
local community's information center

　図書館には、図書、雑誌、新聞、DVD、CD、ビデオなどいろいろな資料があります。このような資料は、地域の人々が仕事や生活に必要な情報を探したり、調べたりすることができるように集められ、提供・保存されています。

　また、その地域の行政資料、歴史や文化などがわかる資料を集め、提供・保存することは、公共図書館の大切な役割の一つです。（☞P71　地域資料）

大阪市立中央図書館

29

（2）地域の文化・交流の場
local community's meeting place for cultural activities

　図書館には閲覧室のほかに、会議室があります。またコンサートや講演会ができるホールのある図書館もあります。このようなスペースは、「おはなし会」「読書会」のような読書の楽しさを伝えるための活動や、音楽や映画、講演などの文化的・教育的な活動のために利用されています。

講演会

おりがみ教室

映画会

読書会

公共図書館の歩み

History of Public Libraries

(1) 公共図書館の始まり　beginning of public libraries

　1872 年（明治 5 年）、東京に国立の図書館「書籍館」がつくられたのと同じころ、京都に日本で最初の公共図書館「集書院」がつくられました。しかし公共図書館とは言っても、京都府は図書館をつくっただけで、図書館の運営は民間会社がしていました。また、図書館の利用にはお金が必要でした。

　1880 年代に入ると、少しずつ日本の各地に公共図書館がつくられていきました。

　しかし、そのころの公共図書館は蔵書も十分ではなく、貸出サービスも行っていませんでした。また学校に附属した図書館としてつくられることも多かったので、学校が開いている時間しか利用できないという不便さもあったようです。さらに図書館の運営費が十分にないなどの問題があり、1890 年ごろになると公共図書館の数は減っていきました。

京都集書院
（京都府立総合資料館所蔵）

(2) 公共図書館の増加　increase of public libraries

　1899 年（明治 32 年）に日本ではじめて「図書館」について定めた法律「図書館令」が出されました。これによって、府県郡や市町村などの地方自治体や学校、個人などが図書館をつくることが法的にも認められることとなり、京都や大阪をはじめ、全国の主要都市に図書館がつくられていきました。またその中には、巡回文庫を始めたり児童室をつくったりするなど、進んだサービスを取り入れる図書館も出てきました。

　1906 年（明治 39 年）には「図書館令」が改正され、図書館に司書をおくことが決められました。この後から 1920 年代の終わりごろ（大正から昭和初期）までに、公共図書館は全国各地にどんどんつくられていきました。

　ただ、このころ増えた図書館は町立の小さい図書館が多く、蔵書数もとても少なかったようです。また、公共図書館の利用が有料であることは認められたままでした。

(3) 中央統制されていく図書館　libraries under government control

　1910年代の終わりごろから1920年代にかけて、世界では第一次世界大戦やロシア革命、世界恐慌などが起こりました。日本は第一次世界大戦後、経済が一時的によくなった結果、物価がとても高くなり、各地でストライキなどの労働運動が起きていました。それで政府はそのような動きはよくないと考え、人々の思想教育に力を入れていきました。図書館もその影響を受けることになり、国がよいと考える図書を薦めていかなければなりませんでした。

　1933年（昭和8年）に行われた図書館令の改正では、道府県図書館が中央図書館として道府県内の図書館を指導、監督するという「中央図書館制度」がつくられました。これによって図書館はさらに国からの統制（コントロール）を受けることになり、社会主義思想や自由主義思想など、政府にとって都合が悪い内容の図書を利用できないようにしたり、戦争に協力するような図書を薦めたりしなければならなくなりました。また、戦争によって蔵書を失ったり施設が使えなくなったりするなど、図書館も多くの被害を受けました。

(4) 「図書館法」ができる　"Library Law"

　第二次世界大戦後、日本は連合国の占領下で民主化が進められ、図書館にもアメリカの図書館思想が取り入れられていくことになりました。1950年（昭和25年）にできた「図書館法」（☞付録P197）の中で、公共図書館は人々が教養を高め、調査研究やレクリエーションなどを行うための機関であり、無料で利用できなければならない、と決められました。また、図書館をつくるときは地方自治体の条例によって決められることや、図書館の施設や設備のために国から補助金がもらえること、そしてそのための必要な条件が決められました。また、このような図書館が望ましい、という基準もつくろうとしました。

　ただ、日本の図書館関係者が願っていた、すべての市町村に図書館をつくることを義務として法律で定めること（＝「義務設置制」）や、都道府県内で図書館ネットワークをつくること、図書館の専門職員として司書をおくこと（＝「司書の制度

望ましい基準

　1950年の「図書館法」では、国からの補助金をもらうために必要な条件（＝「最低基準」）を決めるだけでなく、望ましい図書館の基準もつくろうとしたのですが、うまくいかず、2001年になってようやくそのような基準（＝「公立図書館の設置及び運営上の望ましい基準」）ができました。これは、2012年に「図書館の設置及び運営上の望ましい基準」（☞付録P201）に改正されています。

化」）などは「図書館法」の中で示されませんでした。これには、まずは復興を急がなければならないため、図書館に多くのお金を使うことができなかったという当時の事情があります。また、図書館というものは住民の意思によってつくられ発展していくものであって、国によって上から与えられるものではない、というアメリカの図書館思想によって、あえて取り入れられなかったという面もあったようです。このようにしてできた「図書館法」は日本の図書館関係者にとって十分なものではありませんでしたが、この法律のもとで日本の公共図書館は活動を始めることになりました。

(5) 「図書館の自由に関する宣言」をまとめる
"Statement on Intellectual Freedom in Libraries"

　ちょうどそのころ、日本で民主化が進められていくのと同時に、政治問題に対して図書館はどのような立場をとるべきかということが議論されるようになりました。その結果、1954 年（昭和 29 年）に全国図書館大会と日本図書館協会の総会で、利用者の知る自由を守るべき立場にある図書館は、自由な表現を規制（コントロール）しようとするものから自由であるべきだという宣言（＝「図書館の自由に関する宣言」）（☞ 付録 P194）を採択したのです。その後、この宣言は内容の見直しが行われ、1979 年（昭和 54 年）に改訂されています。

(6) 人々に利用される図書館になるために
efforts for libraries in wider use

　1955 年ごろからしばらくの間は、図書館の利用がそれほど増えない状態が続いていました。そのような中、日本図書館協会が1960 年（昭和 35 年）から調査をはじめ、1963 年（昭和 38 年）に『中小都市における公共図書館の運営』（略称「中小レポート」）にまとめて発表しました。その中で、中小図書館（市町村の図書館）こそが住民にとって一番身近な公共図書館であり、大図書館（都道府県の図書館）とは違う役割があることが示されるとともに、資料の提供こそが公共図書館の重要な役割

であると述べられました。さらに 1970 年（昭和 45 年）には、日本図書館協会から『市民の図書館』が刊行され、その中で公共図書館が発展していくためには、貸出サービス、児童サービス、全域サービスに力を入れなければならないと述べられました。そして実際にこのような活動が広く行われていきました。その結果、1970 年代以降、公共図書館は多くの地域住民に利用されるようになり、ほぼすべての市や区に図書館がつくられるま

でになりました。一方、町村立の図書館はなかなか増えていかず、現在でも問題となっています。

(7) 近年の公共図書館の動き　recent trends in public libraries

　書誌データが機械で読み取れる形（機械可読目録）になったことにより、図書館では1950年代から、目録作成業務の一部を民間の会社などに頼むようになりました。1980年ごろから行政や財政の改革が求められるようになり、コストを減らすため、民間でできる仕事は民間にしてもらうということになっていきました。それで、1980年代ごろから、製本やカウンター業務などでも民間会社に頼む業務委託（アウトソーシング）が進んでいきました。2003年（平成15年）には、図書館の管理・運営の一部や全体を民間会社などに委ねること（＝「指定管理者制度」）が法的にも認められ（「地方自治法第244条」）、その後、いろいろな業務で委託が進んできました。その結果、近年、公共図書館では正規職員より非正規職員や委託会社からの派遣社員のほうが多くなっています。このようなことから、図書館の資料や利用者のニーズ、出版物の動きなどをよく知るベテランの職員が少なくなり、サービスの低下が心配されています。また、非正規職員や派遣社員などの不安定な雇用も問題になっています。

大学図書館　University Libraries

東京大学総合図書館
©Kitadake3193

1 大学図書館とは ……………………………………………… What is university library?

　大学図書館とは、大学や短期大学などにある図書館です。

　大学図書館には、公共図書館に関する法律である「図書館法」のような、大学図書館全体について決められた法律はありません。ただ、大学や短期大学それぞれに対して文部科学省が決めた基準〔＝「大学設置基準」（校舎など施設）第36条〕の中に、新しく大学をつくるときに必ずつくらなければならない施設などについての方針があって、これによってどの大学にも図書館がつくられています。

　大きい大学の場合、中央図書館のほかに、学部や研究所などにも図書館や図書室があります。

東京大学総合図書館の館内

東京大学柏キャンパス図書館の館内

東京大学医学図書館の館内

35

❷ 大学図書館の役割 ···University Library's Roles

大学図書館の役割は、研究者や学生の研究活動・学習に役立つ学術情報を提供することです。

（1）研究活動のための情報提供　providing information for research activities

大学図書館では、専門的で学術的な資料を集め、情報を提供しています。たとえば、人文科学、社会科学、自然科学などの専門書、学術雑誌や紀要などがありますが、近年は最新の研究成果をより速く提供できる電子ジャーナル、オンラインデータベースなども増えています。

龍谷大学図書館インターネットコーナー

（2）学習のための情報提供　providing information for learning

大学図書館では授業で使う教科書やレポートを書くときに役立つ資料など、大学の授業に関係する資料を提供しています。また、近年は図書館を上手に利用できるように、OPAC やいろいろなデータベースの使い方を教える「利用教育」「情報リテラシー教育」にも力を入れています。

東京大学図書館　文献検索講習会の様子
（東京大学情報基盤課）

大学図書館の歩み

History of University Libraries

(1) 戦前の歩み　Before WWⅡ

　日本で最初に国立の大学ができたのは、東京大学がつくられた 1877 年（明治 10 年）です。そしてこのとき、法学部・理学部・文学部の附属図書館がつくられました。その後、京都や東北（1907 年 仙台）、九州（1911 年 福岡）、北海道（1918 年 札幌）などにも、国立の大学がつくられました。

1892 年（明治 25 年）に完成した
東京大学総合図書館の外観

　東京大学は、東京開成学校と東京医学校という二つの学校がいっしょになってできた大学なのですが、東京開成学校にはすでに教師や学生だけでなく、一般の人も利用できる図書館があったようです。

　また、明治時代には、慶応義塾（現在の慶応義塾大学）や東京専門学校（現在の早稲田大学）など、私立の専門学校などが多くつくられていました。その後、大学として認められていったのですが、これらの大学の場合も専門学校のときから図書館はつくられていました。

　1920 年代に入ると、目録規則がつくられたり、貸出や指定図書制度などのサービスが始められたりするなど、少しずつ発展していきました。でも次第に大学図書館も国からの統制（コントロール）を受けるようになり、戦争によって蔵書を失うなどの被害も受けました。

(2) 戦後の歩み　After WWⅡ

①大学図書館の増加　increase of university libraries

　戦後、教育制度が変わるとともに、大学の数も多くなりました。1949 年（昭和24 年）には法律（「国立学校設置法」「私立学校法」）で、大学は附属図書館をおかなければならないことが決められ、それによって大学図書館も増えていきました。ただこのころはまだ大学のシステムが変わったばかりで大学内の問題で忙しく、図書館のことまで手がまわらないという状況だったようです。そのような中、1951 年（昭和

26 年) に文部省は国立大学図書館を改善するために委員会をつくり、研究されたことを「改善要項」に発表しました。その後、私立大学や公立大学、短期大学でもそれぞれの大学図書館協会が「改善要綱」をつくりました。これらによって、だんだん大学図書館のネットワークが広がっていきました。

②図書館業務へのコンピュータ導入から電子図書館へ：1960 年代～

from introduction of computers for library services to e-libraries from the 1960's on

1960 年代になると、日本は高度経済成長期に入り、コンピュータが少しずつ広まっていきました。図書館でも業務が機械化されるようになりました。特にはじめのころは貸出・返却、目録や統計の作成などの管理業務に利用されましたが、1980 年代になると、管理業務だけでなく情報検索のために図書館システムが使われるようになりました。さらに、インターネットが広まっていった 1995 年ごろから、資料を電子化し、ネットワークを使って広く利用者に提供していくこと（=「電子図書館」の構築）に力を入れていくようになりました。

③学術情報の共有：1980 年～　sharing academic information from 1980 on

1980 年（昭和 55 年）の学術審議会で、学術情報システムをどうしていくべきかということが話し合われました。そして、大学などの研究機関がコンピュータを通じて学術研究情報を共有できるようにしようということで、1983 年（昭和 58 年）に「学術情報センター」（NACSIS）がつくられました。

学術情報センターは、参加館が分担して一つのデータベースを使って書誌データをつくり、いっしょに利用できる総合目録や図書館間相互貸借（NACSIS-CAT、NACSIS-ILL）のシステムをつくりました。そして、このシステムに多くの大学図書館が参加していきました。これによって図書館のネットワーク化が進み、相互協力や訪問利用などがスムーズにできるようになりました。

2000 年（平成 12 年）に学術情報センターは「国立情報学研究所」（NII）という名前に変わるのですが、引き続きこれらのシステムをサポートするとともに、日本の学術情報を提供する Web サイトの運用も行うようになりました。1997 年（平成 9 年）から大学図書館の図書や雑誌が検索できる「NACSIS Webcat」（2011 年 11 月に新システム「CiNii Books」が公開され、2013 年 3 月に「NACSIS Webcat」はサービス終了）がインターネット上で公開され、2005 年（平成 17 年）からは、論文を検索したり、電子化された論文を読んだりできる「CiNii Articles」（論文情報ナビゲータ）や、図書や雑誌などの検索ができる「Webcat Plus」（図書情報ナビゲータ）な

どをつくって、学術研究情報を提供しています。また、このようなウェブサイトをまとめて横断検索することができる「GeNii」（学術コンテンツポータル）を運用しています。

国立情報学研究所（NII）が提供する情報サービス
Information Services provided by National Institute of Informatics（NII）

▶ 「CiNii Articles」：論文を探すことができます。
▶ 「CiNii Books」：全国の大学図書館の図書や雑誌を探すことができます。
（2013 年 3 月までは「NACSIS Webcat」で探すことができました。
国立情報学研究所（NII）が提供している総合目録・所蔵目録のデータベース「NACSIS-CAT」の情報をインターネット上に公開したものです）
▶ 「Webcat Plus」：「NACSIS-CAT」にあるデータだけでなく、国立国会図書館の資料のデータなど、出版されたいろいろな資料の情報がわかります。

　一方、それぞれの大学がインターネットを使って外部に研究成果を伝えていこうというサービスも始まっています。これは、大学の研究者などが書いた論文などの学術情報をデータベース化して保存し、インターネットで大学外の人々に公開していくというもの〔＝「機関リポジトリ（Institutional Repository）」〕です。国立情報学研究所（NII）では、このようなサービスをサポートするシステムもつくっていて、これからこのような取り組みを行う大学が増えていくことが期待されています。

http://ge.nii.ac.jp

④「大学設置基準」の改正（=「大綱化」）（1990年〜）

Amendment to "The University Establishment Standards" (from 1990 on)

　1980年代に大学の進学率が上がり、社会環境も変わっていく中、1990年代に入って、大学も変化が求められるようになります。というのは、それまで施設、設備、カリキュラムなど、大学をつくるために必要な基準（=「大学設置基準」）は文部省（現在の文部科学省）が細かく決めていたのですが、1991年から方針を変え、文部省は大きな基準だけを示し、細かいところはそれぞれの大学が考え、後でその基準がどのぐらいできたかを大学に自己点検・評価させるというやり方に変えたのです。その結果、大学も図書館も目標がどのぐらい達成できたか、説明が求められるようになりました。

⑤国立大学の法人化　change of national university's legal status

　1990年代後半には行政改革が行われ、公務員の数を減らすことが求められるようになりました。そして2004年（平成16年）4月に国立大学も国から独立し、法人という立場になりました（=「国立大学の法人化」）。これによって国立大学は目標をつくり、後でその目標がどのぐらいできたかをチェックし、それによって国からもらえる予算が決められるようになりました。国から与えられた予算をどう使うかはそれぞれの大学で決めることができますが、予算が年々減ってきているため、図書館の予算を維持することがますます難しくなっています。

⑥難しい図書館運営　more difficult library management

　近年、大学の予算が少なくなっているため、正規職員の司書を減らし、代わりに非正規職員を増やして業務を行う図書館が増えています。また、図書館の資料費も年々少なくなっています。一方、大学図書館の利用者にとって重要な資料である電子ジャーナルはとても高いので、購入が難しいことが問題になっています。

　それで、いくつかの大学が共同で購入することによって購入費を安くできたり、それによって資料を増やすことができたりするなど、有利な条件で購入するための組合のようなもの（=コンソーシアム）がつくられています。

専門図書館　Special Libraries

神奈川近代文学館
©kinnosuke

1 専門図書館とは ………………………………………………… What is special library?

　専門図書館とは、特定の専門分野の資料を集めて、情報サービスをしている図書館のことです。専門図書館は、会社や政府機関、地方自治体、大学の研究所、美術館・博物館など、いろいろなところにつくられています。

　また、それぞれの専門図書館が提供している資料のテーマも、経済・ビジネス・ファッション・映画・マンガなど、いろいろあります。

2 専門図書館の役割 ………………………………………… Special Library's Roles

　専門図書館では、専門性の高い資料や情報を集めています。これらの資料や情報は、まずその図書館がある会社や機関などで仕事や研究をしている人々をサポートするために提供されています。

　会社の図書館では、その会社の人でなければ利用できない図書館もあります。

　ただ、政府機関の専門図書館では、そこで働いている人でなくても、ほかの政府機関で働いている人には同じサービスを提供しているところもありますし、一般の利用者にサービスの一部を提供しているところもあります。

　また図書館からの紹介状がある人には一部のサービスを提供している大学や研究所の図書館もあります。

　専門図書館の中には、社会に役立つ働きや文化活動の一つとして、資料を広く一般の利用者に公開しているところもあります。

専門図書館の例

Examples of Special Libraries

・・

（1）いろいろなテーマを持つ専門図書館

libraries under various themes

大宅壮一文庫 ©妖精書士

①芸術・文化　art and culture

<雑誌>　大宅壮一文庫

<文学>　日本近代文学館

<演劇>　国立劇場図書閲覧室

　　　　池田文庫

<マンガ>　現代マンガ図書館

<音楽>　民音音楽博物館音楽ライブラリー

　　　　東京文化会館音楽資料室

<デザイン>　大阪デザイン振興プラザ デザインライブラリー

<アート>　愛知芸術文化センターアートライブラリー

<スポーツ>　秩父宮記念スポーツ図書館

現代マンガ図書館

②生活・家庭　life and family

<食べ物>　食の文化ライブラリー

<住宅>　住総研図書室

<趣味・レジャー>　旅の図書館

③社会　society

<女性>　東京ウィメンズプラザ図書資料室

<教育>　国立教育政策研究所教育研究情報センター教育図書館

<労働>　労働政策研究・研修機構労働図書館

　　　　エル・ライブラリー（大阪産業労働資料館）

④経済　economy

＜ビジネス＞　日本貿易振興機構（ジェトロ）アジア経済研究所図書館

⑤科学・産業　science and industry

＜原子力＞　日本原子力研究開発機構図書館
＜自動車＞　自動車図書館
＜航空＞　航空図書館
＜農業＞　農文協図書館

日本原子力研究開発機構図書館

農文協図書館

⑥医療　medical treatment

＜医学、医療＞　NTT東日本関東病院図書館
　　　　　　　　さわやか学習センター（聖路加国際病院）
　　　　　　　　からだ情報館（東京女子医科大学病院）

NTT東日本関東病院図書館

⑦海外・日本　overseas and Japan

＜アメリカ＞　アメリカン・センターレファレンス資料室
＜ロシア＞　日本ロシア語情報図書館
＜韓国＞　韓国文化院図書映像資料室
＜アジア・アフリカ＞　アジア・アフリカ図書館
　　　　　　　　　　　アジア図書館
＜日本語教育＞　国際交流基金日本語国際センター図書館
＜日本＞　国際交流基金関西国際センター図書館

国際交流基金日本語国際センター図書館

（2）博物館・美術館にある専門図書館　museum libraries

＜美術＞　東京国立博物館資料館

＜ファッション＞　神戸ファッション美術館ライブラリー

＜映画＞　東京国立近代美術館フィルムセンター図書室

＜歴史＞　江戸東京博物館図書室

＜科学＞　国立科学博物館図書室

江戸東京博物館図書室

（3）専門的テーマを持つ公共図書館
public libraries under specialized themes

＜日本語・方言＞　金田一春彦ことばの資料館

＜科学技術＞　神奈川県立川崎図書館

＜マンガ＞　広島市まんが図書館

金田一春彦ことばの資料館
（提供：やまなし観光推進機構）

広島市まんが図書館

学校図書館　School Libraries

名取市立閖上中学校図書館

1 学校図書館とは ……………………………………What is school library?

　学校図書館とは、小学校、中学校、高等学校などにある図書館（室）のことです。

　「学校図書館法」（1953年）（☞付録P209）で、学校は必ず図書館（室）をおかなければならないと決められているので、どの学校にも図書館（室）はつくられています。

東京純心女子中学校図書館

2 学校図書館の役割 ……………………………… School Library's Roles

　1953年（昭和28年）につくられた「学校図書館法」（第2条）（☞付録P209）に、学校図書館には次のような二つの目的があると書かれています。

▶ 学校教育に必要な資料を集め、整理・保存し、児童・生徒や教師に提供して、学校教育に役立てること
▶ 児童・生徒の教養を育てること

　その後、教育改革（「学習指導要領改訂」）や社会の変化とともに、自分で学ぶ力や情報を上手に利用できる力を育てることがさらに大切だと考えられるようになりました。そのため、現在、学校図書館は「学習情報センター」、「読書センター」としての役割が求められています。

Notes

　学校教育法では、小学生には「児童」、中学生と高校生には「生徒」、大学生には「学生」という表現を使っています。

（1）学習情報センター　information center for learning

　学校図書館は、生徒が自分で考え、学ぶことをサポートする場所であり、生徒が上手に情報にアクセスし、必要な情報を選び、利用できる力（＝「情報リテラシー」）を育てる場所でもなければなりません。また、教師の教材研究をサポートする場所でもあります。そのため司書教諭は、必要な資料の収集、利用教育や教師へのガイダンス、レファレンス、授業のサポート、情報利用についての授業のカリキュラム作成・指導など、さまざまな仕事をする必要があります。

岐阜市立岩小学校
総合学習・調べ学習

Notes

司書教諭になるには

　教師になる勉強をしている人が、司書教諭になるための勉強をすれば、司書教諭になる資格をとることができます。また、教師の資格をとって、その後、司書教諭になるための講習を受けて、司書教諭になる人もいます。

（2）読書センター　reading center

　読書のための場所を用意し、読書のきっかけをつくり、読書をサポートしていくことは、学校図書館の大切な役割です。そのために、「読み聞かせ」や言葉で物語を聞かせる「ストーリーテリング」、資料の紹介をする「ブックトーク」、資料を選んだり探したりするときのサポートをする「読書相談」、朝の読書活動などの読書プログラムがあります。このようなプログラムに、児童・生徒の保護者や地域のボランティアに参加してもらって、学校図書館の働きを理解してもらうことも大切になっています。

読谷村立渡慶次小学校
読み聞かせ

綾部市図書館　ブックトーク（綾部市立物部小学校にて）

学校図書館の歩み
History of School Libraries

（1）戦前の学校図書館　school libraries before the War

　明治時代（1868年〜）のはじめ、政府は近代化を進めるために新しい学校制度をつくりました。そして全国各地に小学校・中学校・大学がつくられていきました。このころ政府はすでに小学校に図書室をおくことも計画していたようです。しかし実際には教室を用意するだけでも大変だったので、すぐに図書室がつくれる学校はほとんどありませんでした。

Notes

　政府は明治時代（1868年〜）のはじめに大学に図書室をおくことを認めました。小学校に図書室をおくことは、日本ではじめて学校制度について取り決めた法令（「学制」）ができた明治5年（1872年）ごろに計画されました。中学校に図書室をおくことは明治時代の中ごろになって計画されたようです。

　大正時代（1912年〜）になると、一部の私立学校などで図書室がつくられるようになりました。そこで子どもたちは読書を楽しみ、教師は参考書などの資料を使って授業の準備や研究をしていたようです。このようなことができる図書室は、私立学校だけでなくほかの学校にもありましたが、あまり多くはありませんでした。というのは、そのころの日本は近代化を進めるためにまず教科書による教育に力を入れ、人々に知識を身につけさせなければならなかったからです。そのため学校は、教科書の内容を教えるよう政府から働きかけを受けるようになり、図書室の資料はあまり必要とされなくなっていきました。

　昭和の時代（1926年〜）になると、子どもたちの思想教育に図書が必要だということで、多くの学校に図書室がつくられていきました。しかし時代が進むにつれて、政府にとって都合の悪い思想の図書を利用できないようにしたり、戦争に協力する図書を薦めたりしなければならなくなり、その時代の影響を強く受けていくことになりました。このようなことから、日本の学校図書館が本当の意味でスタートしたのは、戦後になってからだと考えられています。

（2）戦後の学校図書館　school libraries after the War

①教育の改革と学校図書館　education reform and school libraries

　戦後、日本の教育制度も連合国の占領下で民主化が進められ、教師が一方的に教科書の内容を教える教育から、子どもたちが自分で考え、学ぶ力を育てる教育へと変えていこうとしました。そして、そのような教育を行うには図書館が必要だということで、1947年（昭和22年）には学校教育法の規則（「学校教育法施行規則」1条）として、学校に図書館（室）をおくことが決められました。

②「学校図書館法」ができる　Enactment of "School Library Law"

　その後、学校図書館に必要な予算や司書などについて決めた法律が必要になり、1953年（昭和28年）に「学校図書館法」（☞付録 P209）がつくられました。この法律では、学校に必ず図書館をつくること、図書館に司書教諭をおくこと、などが決められました。ただ、このころは司書教諭の資格を持っている人があまりいなかったので、司書教諭をしばらくおかないことも認められました。そのため、法律はできても司書教諭がいないままの学校図書館が数多くありました。また、1955年ごろから日本は高度経済成長期に入り、マニュアル通りに機械をうまく動かすことができるいい労働者に育てるため、基礎的な知識を多く身につけさせる教育、つまり教科書中心の教育に戻ることになり、また学校図書館はほとんど使われなくなっていきました。

③「学校図書館法」の改正　Amendment to "School Library Law"

　司書教諭がなかなか増えない中、学校は実際に図書館の仕事をしてくれる人が必要になり、「学校司書」として雇うところが増えていきました。「学校司書」は、「実習助手」や「事務職員」として採用されることも多く、ほかの仕事があったり、勤務時間も短かったりして、開館時間が短くなってしまう図書館もありました。
　一方、1980年ごろから学校教育の方針が少しずつ変わりはじめ、"知識をつめこむ教育"から"自ら学ぶ教育"が求められるようになりました。また、本を読まない子どもが増えていることも問題となり、子どもたちが本に出会えるように、学校でも読書活動を積極的に行うことが求められました。
　このようなことから、学校図書館をよくしようという動きが起こり、1997年（平成9年）に「学校図書館法」の一部が改正されることになりました。これによって、2003年（平成15年）4月から、学校全体のクラス数が12クラス以上ある学校の

図書館には、司書教諭を必ずおかなければならなくなりました。

　ただ、この法律は「学校全体で 12 クラス以上ある学校」という制限をつけたので、11 クラス以下の学校、つまりクラス数の少ない小さい学校は司書教諭がいなくてもいいことになってしまいました。また、司書教諭になる人は、図書館の仕事だけをするのではなく、教師として授業やクラブ活動などを担当しながら図書館の仕事もする（「教諭をもって充てる」＝充て職）ことが多いので、実際には図書館の仕事が十分にできなかったり、仕事量が多くなってしまったりするなどの問題があると言われています。

国際交流基金関西国際センター図書館の事例紹介

「司書のとある一日」

●早番（9：00 ～ 17：30）の一日

8:55 出勤

図書館業務用 PC、利用者用 PC、BDS（盗難防止装置）、コピー機などの電源を入れます。

新聞を入れ替えます。

前日の返却本を書架へ返します。

9：40 開館する

9：40 ～ 13：00 カウンター業務をする

図書館の入口を開け、案内スタンドを「開館」にします。

貸出・返却やレファレンスサービスをします。

カウンター業務をしながら、資料の受入や目録作成などもします。

13：00 ～ 14：00 昼休み

食堂で昼ごはんを食べます。

14：20～15：10　情報検索ガイドをする

関西国際センターの日本語研修参加者（海外の大学生など）に、図書や論文の探し方を教えます。

15：10～17：30　事務室で業務をする

資料の発注データを作成し、書店へ発注します。
納品された資料の受入をし、資料の支払処理をします。

目録を作成します。

スタッフに
業務の指示をします。

遅番のスタッフに引継ぎを行います。

17：30　業務終了

図書館協力

1 図書館協力の必要性 ·············· Necessity of Cooperation among Libraries

　近年、新しく出版される図書は多くなっています。しかし、図書館の予算はむしろ少なくなっているところが増えています。また、情報化が進み、より専門的な情報が利用者から求められるようにもなっています。

　このような中、利用者からのいろいろなニーズに応えることは、一つの図書館だけでできることではありません。そのため、図書館は近くにある図書館とだけでなく、いろいろな種類の図書館や機関と協力して、利用者にサービスを提供しています。

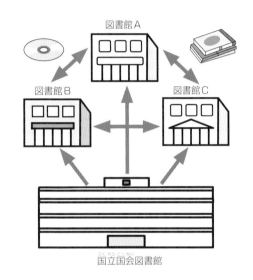

Point

図書館協力とは　What is library cooperation?

　同じ大学にある中央図書館と学部図書館の間や、同じ市にある公共図書館中央館と分館との間でも、協力して業務を行っています。同じ大学や自治体に管理・運営されている図書館が協力し合うのは当然と言えば当然のことなので、このような場合の協力は、「図書館協力」と言わないのが一般的です。

　つまり、「図書館協力」というのは、図書館をつくり、管理している機関が違う図書館と図書館が協力することを言います。

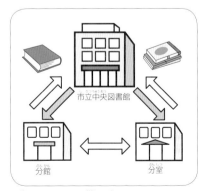

上の図のように、同じ市にある図書館から借りることは「取り寄せ」と言います。

❷ 図書館ネットワーク ···Library Network

　図書館は協力し合うために、図書館の種類や専門性、地域などによって、ネットワークをつくっています。そのネットワークに参加している図書館と図書館は、オンラインで結ばれていることもあります。

（1）館種別ネットワーク　networks based on library types

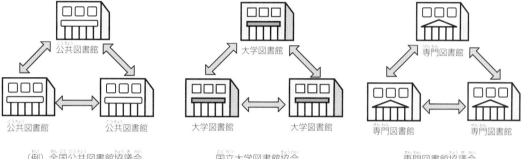

公共図書館

公共図書館　　公共図書館

（例）全国公共図書館協議会

大学図書館

大学図書館　　大学図書館

国立大学図書館協会

専門図書館

専門図書館　　専門図書館

専門図書館協議会

（2）主題や分野別ネットワーク　networks based on themes and fields

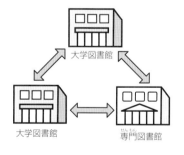

大学図書館

大学図書館　　専門図書館

（例）日本医学図書館協会

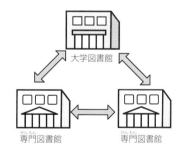

大学図書館

専門図書館　　専門図書館

法律図書館連絡会

（3）地理的ネットワーク　networks based on geographical areas

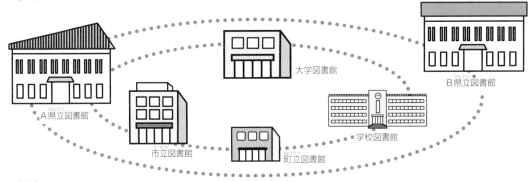

【地域によるネットワーク】

（例）　▶ 上田地域公共図書館ネットワーク

　　　　▶ 関東甲信越静地区都県立図書館間資料相互貸借協定

　　　　▶ 阪神地区公共図書館協議会

【地域を越えたネットワーク】

（例）　国立情報学研究所目録所在情報サービス（NACSIS-CAT/ILL）

（海外の図書館で参加している国：韓国・中国・タイ・イギリス・ドイツ・スイス・フランス・ベルギー・オランダ・スウェーデン・ノルウェー、アメリカ）（2013 年 5 月 15 日現在）

（4）図書館コンソーシアム　library consortia

　　図書館の種類や主題・分野が同じ図書館や、地理的に近い図書館や機関が集まって、つくられた組合のようなものです。（ ☞ P60「図書館コンソーシアム」）

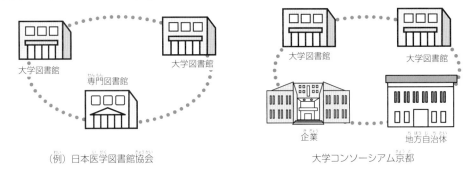

（例）日本医学図書館協会　　　　　　　　　大学コンソーシアム京都

❸ 図書館協力の内容 .... Content of Library Cooperation

図書館によって協力する内容に違いはありますが、（1）資料・情報の提供、（2）資料・情報の収集と保存、（3）書誌データ作成などについて、ほかの図書館と協力を行っています。

（1）資料・情報の提供の協力　cooperation in providing materials and information

資料・情報の提供の協力には、次のようなものがあります。

①相互貸借　interlibrary loan

利用者が見たい資料が図書館にないとき、ほかの図書館から借りて利用者に提供します。

（☞ P56「相互貸借を頼む場合」）

②文献複写　photoduplication

利用者が見たい資料が図書館にないとき、ほかの図書館にその資料の一部のコピーを送ってもらいます。

Notes

相互貸借と文献複写のことを
ILL（図書館間相互貸借：
interlibrary loan）と言います。

③訪問利用　introduction to other libraries

資料がある図書館を利用者に紹介して、その図書館に行って利用してもらいます。そのとき、資料のある図書館に資料が利用できるかどうか、訪問する日時などを確認します。それから利用者に紹介状を渡します。

④図書館相互利用　interlibrary access

住んでいるところ（市区町村）や通勤・通学しているところではない、ほかのところにある図書館を利用したり、通っている大学ではない大学の図書館を利用したりできることです。
ただ、ほかの市区町村に住んでいる利用者に対しては、貸出サービスなど、サービスの一部に制限をつけている図書館もあります。

⑤協力レファレンス　cooperative reference

利用者からの質問や相談に答えられないときに、ほかの図書館に協力してもらって、答えます。（☞ P57「レファレンス事例の公開」）

相互貸借を頼む場合 when asking for interlibrary loan service

公共図書館　public libraries

　市町村立図書館に利用者の求める資料がなかった場合は、まず、都道府県立図書館にないか、インターネット上のデータベースで検索してみます（☞下図①）。そこで見つかれば電子メールやファックスなどを送って、都道府県立図書館から資料を借ります。都道府県立図書館によっては、市町村立図書館などに資料の貸出の協力をするために、配送車が使われているところがあります。この場合、郵送料が必要ないので、便利です。

　もし、都道府県立図書館になかったら、インターネット上のNDL-OPAC（国立国会図書館蔵書検索・申込システム）を使って、『国立国会図書館蔵書目録』を検索します。（☞下図②）。国立国会図書館から借りる場合、送ってもらうときの郵送料は国立国会図書館が払ってくれるので、送り返すときだけ郵送料を払うことになっています。

　国立国会図書館でも見つからなかったら、ほかの都道府県の公共図書館（☞下図③）や、近くにある大学図書館や専門図書館に協力を頼むことになります（☞下図④）。この場合は、送ってもらうときも送り返すときも、郵送料が必要になります。

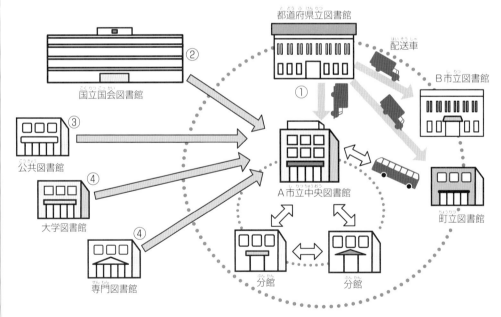

大学図書館　university libraries

　大学図書館が相互貸借や文献複写を行うとき、国立情報学研究所がサポートしているNACSIS-ILLを利用します。（☞P59「NACSIS-CAT」）また、コンソーシアムを結んでいる図書館や、地域の図書館などに協力を頼みます。

レファレンス事例の公開　actual reference cases made open to the public

　公共図書館、大学図書館、専門図書館では、レファレンスサービスの記録（＝レファレンス事例）をデータベース化し、ホームページなどで公開しているところが増えています。

　また、国立国会図書館がつくった「レファレンス協同データベース」システムに参加している全国の図書館は、それぞれの図書館のレファレンスサービスの記録や、情報の調べ方の案内の情報を提供して、いっしょにデータベースをつくって、公開しています。

国立国会図書館　レファレンス協同データベース事業

Notes

　「レファレンス協同データベース」に参加している図書館の中には、事例のすべてを公開していない図書館もありますし、このシステムに参加している図書館だけに公開している図書館もあって、図書館が公開の範囲を選べるようになっています。

（2）資料・情報の収集と保存の協力
cooperation in collecting materials and information and their preservation

①分担収集　coordinated acquisition
　いくつかの図書館の間で、それぞれが担当する資料の分野や種類を相談して決めて、資料を収集します。

②分担保存　shared storage
　いくつかの図書館の間で、それぞれが担当する資料の分野や種類を相談して決めて、資料を保存します。

　図書館では、それぞれの図書館の収集方針に合わせて、資料を収集し、保存しています。ただ、資料を買うための予算が増えないことや、書庫スペースが足りないことなどから、新聞や雑誌、地域資料などについては分担収集・分担保存をしている図書館もあります。

分担収集・保存の例 examples of coordinated acquisition and shared storage

大学図書館　university libraries

★全国レベルの分担保存　nation-level shared storage

：国立大学図書館の「外国雑誌センター館」

　日本では 1977 年（昭和 52 年）から、文部科学省によって「外国雑誌センター館」に選ばれた 9 つの国立大学の附属図書館が、外国雑誌の分野を決めて、分担して収集・保存を行っています。それぞれの大学図書館が収集した外国雑誌は、国立情報学研究所（NII）がサポートしている図書館間相互貸借のシステム（NACSIS-ILL）を通して、利用することができるようになっています。

外国雑誌の分野	外国雑誌センター館
医学・生物学系	大阪大学附属図書館、九州大学附属図書館、東北大学附属図書館
理工学系	東京工業大学附属図書館、京都大学附属図書館
農学系	東京大学農学生命科学図書館、鹿児島大学附属図書館
人文・社会科学系	一橋大学附属図書館、神戸大学附属図書館

★地区レベルの分担保存　region-level shared storage

：「私立大学図書館協会阪神地区協議会」

　阪神地区では、私立大学の図書館が新聞や雑誌の分担保存を行っています。

＜分担保存されている資料の例＞

新聞	大学	雑誌	大学
『神戸新聞マイクロフィルム版』	神戸学院大学	『医学のあゆみ』	近畿大学
『図書新聞』	甲南大学	『週刊朝日』	関西大学
『The New York Times』	関西学院大学	『British Medical Journal』	大阪歯科大学
『Japan Times 縮刷版』	関西外国語大学	『Asian Economic Journal』	大阪国際大学

http://www.jaspul.org/w-kyogikai/hanshin/hanshin_ill_buntanhozonshilist.pdf より抜粋して作成

公共図書館　public libraries

★県レベルの分担保存　prefecture-level shared storage

：市町村立図書館をサポートする滋賀県立図書館

　滋賀県では、市町村立図書館で資料を除籍するとき、その資料が県立図書館にあるかどうか確認をし、なかった場合は県立図書館で保存をすることにしています。保存のスペースが少ない市町村立図書館を県立図書館がサポートすることによって、県全体で資料の保存・提供ができるようになっています。

（3）書誌データ作成の協力　cooperation in creating bibliographic data

　いくつかの図書館が同じ目録データベースを使って、いっしょに書誌データをつくります。多くの図書館で同じ資料を受け入れることがよくあるので、ほかの図書館がつくった書誌データを利用できれば、目録作成に時間があまりかからなくなります。このようにして、いくつかの図書館が協力してつくることを、「共同目録作業」「分担目録作業」と言います。そして、その作業によってつくられた目録のことを「総合目録データベース」と言います。

図書館協力

📚 **共同目録・分担目録作業の例**　examples of cooperative and shared cataloging

国立情報学研究所目録所在情報サービス（NACSIS-CAT）

　国立情報学研究所（NII）は、多くの図書館のコンピュータをオンラインでつないで、それぞれの図書館から同じ目録データベースに資料の書誌データと、その資料を所蔵している図書館名が入力できるシステムをつくりました。このシステムによってできた総合目録データベースが NACSIS-CAT です。ここにあるデータはそれぞれの図書館の目録作業や、図書館間相互貸借（ILL：interlibrary loan）に利用されています。

　このシステムには多くの大学図書館が参加していますが、公共図書館や専門図書館なども参加しています。また日本だけでなく、韓国、中国、イギリス、ドイツ、アメリカなどの海外の図書館も参加しています。

図書館コンソーシアム

Library Consortia

　図書館コンソーシアムというのは、いろいろな図書館や機関が集まってつくった組合のようなものです。目的や活動はそのコンソーシアムによって違いますが、相互利用・相互貸借、共同契約などのためにつくられていることが多いです。

（1）相互利用のためのコンソーシアム　consortia for mutual use

　近年、同じ地域にある大学や専門分野が違う大学が集まって、コンソーシアムをつくり、協力することで、それぞれの大学をよくしていこうという取り組みが行われています。たとえば、コンソーシアムに入っているほかの大学の授業を受けて単位がとれるようにしたり、大学の広報活動をしたり、ほかの大学の図書館の資料を自由に利用できるようにしたりすることです。

　また、大学だけでなく、地域の自治体や企業といっしょになってコンソーシアムをつくり、その地域の大学図書館と公共図書館の相互利用を進めているところもあります。

▶CAN私立大学コンソーシアム
　　参加大学：中部大学、愛知学院大学、南山大学
▶多摩アカデミックコンソーシアム
　　参加大学：国際基督教大学、国立音楽大学、東京経済大学、津田塾大学、
　　　　　　　武蔵野美術大学

多摩アカデミックコンソーシアム

▶ **山手線沿線私立大学図書館コンソーシアム**

参加大学：青山学院大学、学習院大学、國學院大學、東洋大学、法政大学、
　　　　　明治大学、明治学院大学、立教大学

　　相互利用サービス：（a）資料の閲覧

　　　　　　　　参加している大学の学生や教職員は、学生証や教職員証があ
　れば、ほかの図書館の利用者登録ができ、資料を自由に閲覧で
　きます。

　　　　　　　（b）資料の貸出・返却

　　　　　　ほかの図書館の資料をその大学の図書館から借りたり、返却
　したりできます。

　　　　　　　（c）資料の蔵書検索

　　　　　　それぞれの図書館の OPAC を一度にまとめて横断的に検索
　することができる横断検索 OPAC があります。

▶ **大学コンソーシアム京都**

参加機関：主に京都にある大学・短期大学、京都市（地方自治体）、京都の経済団体

　　相互利用サービス：（a）閲覧サービス

　　　　　　　　参加しているほとんどの大学や短期大学の学生や教職員
　　　　　　は、学生証や教職員証があれば、ほかの図書館の資料を自
　　　　　　由に閲覧することができます。

　　　　　　　（b）そのほかのサービス

　　　　　　レファレンスサービスや貸出サービスを行っている図書
　館もありますが、サービスの一部だけを提供したり、その
　大学の授業を受けていることが必要であったり、図書館に
　よって条件があります。

（2）電子ジャーナル購入のためのコンソーシアム
consortia for purchasing e-journals

　情報通信技術（information and communication technology）が進み、最新の研
究などがわかる学術雑誌が電子化され、オンライン上で提供できるようになりました。こ
のような電子化された学術雑誌のことを「電子ジャーナル」と言います。日本では

2000年ごろから利用されるようになりました。

　電子ジャーナルはほとんどの場合、出版社や学会がつくっていて、有料です。ふつう大学の図書館や企業の図書館によって購入され、利用者に提供されているのですが、この電子ジャーナルの価格がとても高くなり、購入することが難しくなりました。そこで、いくつかの図書館が共同で買うことによって価格を安くしてもらったり、有利な条件で買えるようにしたりするために、コンソーシアムがつくられるようになりました。

①大学図書館コンソーシアム連合（JUSTICE）

Japan Alliance of University Library Consortia for E-Resources

　大学図書館コンソーシアム連合（JUSTICE）は、2013年（平成25年）4月に国立大学図書館協会コンソーシアム（JANULコンソーシアム）と公私立大学図書館コンソーシアム（PULC）が統合されてできたコンソーシアムです。電子ジャーナルなどの学術情報を安定的に提供できるようにするための活動を行っています。

②日本医学図書館協会（JMLA）、日本薬学図書館協議会（JPLA）

The Japan Medical Library Association, Japan Pharmaceutical Library Association

　日本医学図書館協会（JMLA）は、日本薬学図書館協議会といっしょに、1998年（平成10年）から外国の電子ジャーナルを分担して購入し、保存しています。

国際交流基金関西国際センター図書館の事例紹介

「相互貸借」

図書館間相互貸借：interlibrary loan（ILL）

　関西国際センター図書館に利用者が求める資料がなかった場合、①〜⑤の順番で、資料がある図書館を探し、資料を借りています。

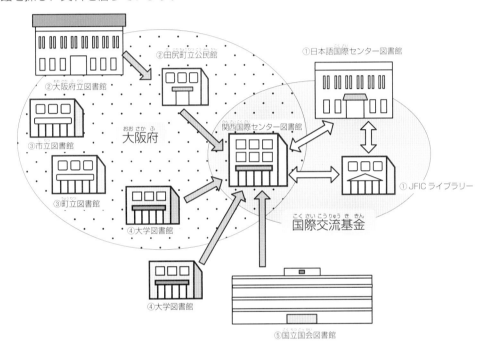

①　国際交流基金のほかの図書館

　利用者が求める資料が図書館になかった場合、関西国際センター図書館ではまず日本国内にある国際交流基金のほかの図書館（JFIC ライブラリー・日本語国際センター図書館）にないか、それぞれの図書館の OPAC や CiNii Books を使って、検索してみます。見つかれば、これらの図書館から資料を借ります。

②　大阪府立図書館

　利用者が求める資料が日本国内にある国際交流基金のほかの図書館（JFIC ライブラリー・日本語国際センター図書館）になかった場合、田尻町立公民館を通じて、大阪府立図書館から資料を借ります。

　まず、大阪府立図書館のホームページ上の OPAC を使って、見たい資料があるかどうか検索をします。見つかれば、「資料貸借申込書」を書いて、田尻町立公民館にファックスで送ります。その情報は田尻町立公民館を通じて大阪府立図書館に伝えられ、田尻町立公民館に資料が届くようになっています。

国際交流基金の国内の図書館

JFIC ライブラリー

JFIC ライブラリーでは、国際交流基金が行っている事業についての資料や、国際文化交流・文化政策についての図書、外国語で書かれた日本を紹介する図書、映像資料などを収集・提供しています。

日本語国際センター図書館

日本語国際センターは海外の主に外国人日本語教師に対して、日本語の教授法や日本語、日本事情を教えたり、日本語教材をつくったりしている機関です。そのため、日本語国際センター図書館では、日本語の教科書や教材、日本語教育、日本語、日本事情などの資料を収集・提供しています。

関西国際センター図書館

関西国際センターは外交官・公務員、研究者、司書、学芸員など仕事で日本語能力を必要としている海外の人々や、海外の大学や高校で日本語を学んでいる人々などに日本語教育を行っている機関です。そのため、関西国際センター図書館では、日本語学習や研修活動をサポートするための資料や、日本の社会・文化を広く紹介する資料などを収集・提供しています。

③ 大阪府内にある公共図書館

　利用者が求める資料が国際交流基金の図書館にも、大阪府立図書館にもなかった場合、大阪府内のほかの公共図書館（市町村立図書館）から資料を借ります。

　まず、「大阪府 Web-OPAC 横断検索」を使って、見たい資料があるかどうか検索します。あれば、大阪府立図書館を通して借ります。そして、②と同じように、田尻町立公民館に届けられます。

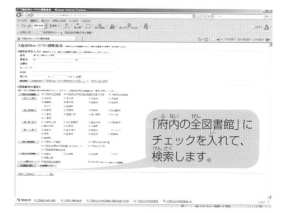

「府内の全図書館」にチェックを入れて、検索します。

④ 大学図書館

利用者が求める資料が①〜③で見つけられなかった場合、大学図書館から資料を借ります。

関西国際センター図書館では、国立情報学研究所（NII）がサポートしている「目録所在情報サービス」（NACSIS-CAT/ILL）に参加しているので、業務用のNACSIS-CATを使って検索し、NACSIS-ILLで申し込むことができます。

業務用のNACSIS-CATでは、それぞれの図書館のILLサービスについての方針（ポリシー）が書かれているので、送料の支払い方法や貸出日数や冊数などを確認して、どの図書館に頼むか決めます。

NACSIS参加組織検索 | NACSIS参加組織一覧 NACSIS参加組織編集 |

NACSIS	
ポリシー	複写受付可否 可
ポリシー	複写方法・料金 電子複写(1枚モノクロ30円/カラー50円+送料)
ポリシー	複写申込方法 NACSIS-ILL/FAX
ポリシー	複写料金支払方法 切手(後納)
ポリシー	貸借受付可否 可
ポリシー	貸借申込方法 NACSIS-ILL/FAX
ポリシー	貸借期間 4週間
ポリシー	貸借冊数 1機関10冊まで
ポリシー	貸借送料支払方法 返却時に切手を同封のこと
ポリシー	貸借注記等 ゆうメール(簡易書留)
ポリシー	貸借注記等 ご利用は館内でお願いします
ポリシー	注記等 相殺サービスには非参加です
ポリシー	注記等 即日対応できないこともありますのでご了承ください
ポリシー	注記等 受付は国内に限ります

LIMEDIO （株）リコー

⑤ 国立国会図書館

利用者が求める資料が①〜④で見つけられなかった場合、国立国会図書館から借ります。

まず、国立国会図書館オンラインを使って、見たい資料があるかどうか検索します。見つかったら、国立国会図書館オンラインから相互貸借の申し込みをします。

多文化サービス入門 / 日本図書館協会多文化サービス研究委員会 編
日本図書館協会, 2004.10
198p ; 19cm

┃所蔵一覧
全て・年　全て・巻 所蔵場所 全て　　　　　　　　　・で絞り込む　　実 行

申込み	巻号年月日等	所蔵場所	ローカル請求記号	利用上の注意
閲覧/貸出 複写		東京:本館書庫		
複写		関西:総合閲覧室 開架	棚30a/UL711	後日複写不可
複写		子ども:資料室 開架(第一資料室)	YZ-015-タブ	後日複写不可

ここをクリックして、「貸出」「複写（コピー）」の申し込みをします。

国立国会図書館オンラインに機関用のアカウントでログインすると、貸出のボタンがあり、それをクリックすれば貸出の申し込みができるようになっています。

4章

LIBRARY MATERIALS

図書館資料

1 図書館資料とは ································· What are library materials ?

（1）資料とは　recorded information

　私たちの身の回りには、テレビやラジオ、新聞、雑誌、インターネットの情報、電車内の広告や店の看板など、いろいろな情報があります。また、私たち自身も会話や手紙・電子メールなどのやりとりの中で情報を伝えています。このような情報のうち、記録されたものを「資料」と言います。

（2）図書館資料と博物館資料・文書館資料の違い
differences between library materials and museum /archive materials

　資料は図書館だけでなく、博物館や文書館などでも収集されていますが、図書館では、利用者が直接さわったり、外に持ち出したりできる複製（コピー）を主に収集しています。

　一方、博物館と文書館では一般的に複製（コピー）ではなく、多くの場合1点しかない現物（オリジナル）の資料を収集しています。個人の利用者が資料をさわることや借りることができないことが多いので、博物館や文書館では資料の展示や閲覧サービスを行っています。

　このような違いから、図書館で収集している資料は「図書館資料」、博物館で収集している資料は「博物館資料」、文書館で収集している資料は「文書館資料」と区別しています。

（3）図書、雑誌などから視聴覚資料、電子資料まで
from books and magazines to audiovisual materials and electronic materials

　図書館資料は、長い間、図書や雑誌・新聞などのように印刷された資料が中心でした。しかし、20世紀後半からDVDやCD、ビデオのような視聴覚資料や、インターネット上のウェブサイトや電子ジャーナルのような電子資料なども提供されるようになってきました。

　『図書館資料論　新訂版』（日本図書館協会 2004）では図書館資料について、"利用者が図書館に求めるあらゆる資料（情報）群"であり、"その形態は問わない"と定義されていることからわかるように、現在、図書館資料は「図書館サービスに必要な資料のすべて」と考えられています。したがって、これからもこのような新しいタイプの資料は増えていくと思われます。

2 図書館資料の種類と特徴 ………… Types and Characteristics of Library Materials

　前にも述べたように、これまで図書館資料は紙に印刷された資料が中心でしたが、近年、科学技術の進歩にともなって、いろいろな新しい資料が増えています。そこで、ここでは図書館資料として長く利用されてきた「印刷資料」と、それ以外の資料である「非印刷資料」に大きく分け、さらに刊行頻度や形態による区分（ ☞ P75「いろいろな区分」）も参考にして、次のように分類します。

（1）印刷資料　　①図書、②逐次刊行物、③パンフレット・リーフレット
　　　　　　　　　④地図資料、⑤そのほかの印刷資料

（2）非印刷資料　①視聴覚資料、②電子資料、③マイクロ資料

（3）印刷されているかどうかという区分によらない資料
　　　　　　　　　①児童資料、②視覚障害者のための資料、③ＬＬブック

（1）印刷資料　printed materials

①図書　books

　思想・知識・感情・情報などをほかの人に伝えるために、印刷して、ある程度の厚さ（ユネスコの定義では 49 ページ以上）で製本したものを図書と言います。

一般図書

Notes

　絵本の場合は、48 ページ以下のものもたくさんあります。

★言語、装丁からの分類　classification by languages and binding styles

　図書は、言語や装丁の違いから、次のように分けられています。

言語 { 和書（日本語・中国語・朝鮮語など漢字が使われている地域の資料）
　　　 洋書（そのほかの言語の資料）

和書
『ハリー・ポッターと賢者の石』
J.K. ローリング 作　松岡 佑子 訳
静山社

洋書
Harry Potter and the Philosopher's Stone
J. K. Rowling
Scholastic Paperbacks

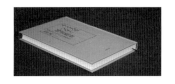

装丁 { 和装本
       洋装本 }

和装本　　　　　　　　　　　洋装本

②逐次刊行物（定期刊行物・不定期刊行物）

serials（periodicals and non-regular publications）

　逐次刊行物というのは同じタイトルで、何巻、何号まで続けるか決めずに継続して出版される資料を言います。主なものとして、雑誌、新聞、会報（ニュースレター）などがあります。

　これらのうち、雑誌や新聞などのように定期的に出されるものを定期刊行物、研究成果をまとめたテクニカルレポートなどのように不定期に出されるものを不定期刊行物と言います。

★雑誌　magazines

　雑誌には、女性誌やスポーツ誌のような一般誌のほかに、学術誌や官公庁誌、企業誌などがあります。

★新聞　newspapers

　新聞は、朝日新聞や読売新聞などの一般紙と、スポーツ紙のように特定のテーマを扱う専門紙、政党や宗教団体、自治体や企業が宣伝・教育のために出す機関紙・広報紙などがあります。

③パンフレット・リーフレット　　pamphlets and leaflets

　パンフレット（小冊子、カタログなど）とは、5ページ以上48ページ以下の製本されていない資料です。パンフレットには、映画のパンフレットやコンサートのプログラムなどのほかに、商品のカタログやマニュアル（取扱説明書）なども入ります。

　リーフレットは、一枚の紙を折りたたんだもので、2ページ以上4ページ以下の製本されていない印刷物のことです。

パンフレット	リーフレット
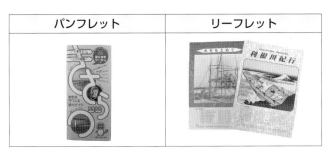	

千葉県立中央図書館
ファイル・ボックス

　図書館では、このような資料をファイルやボックスにまとめて、整理しています。

④地図資料　　maps

　地図資料には、地図帳や一枚ものの地図、折りたたみ図や立体のものなど、いろいろな形のものがあります。また、一般的な地形図だけでなく、道路地図や航空図、人口分布図など、いろいろな種類の地図があります。

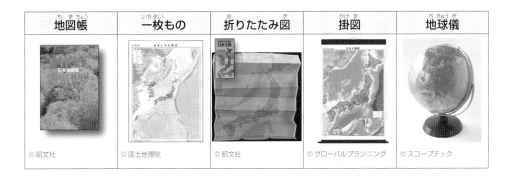

地図帳	一枚もの	折りたたみ図	掛図	地球儀
© 昭文社	© 国土地理院	© 昭文社	© グローバルプランニング	© スコープテック

⑤そのほかの印刷資料　other printed materials

★政府刊行物　government publications

　政府刊行物と言えば、行政を行う内閣や府省庁だけが刊行したものであるかのように思ってしまいますが、一般的には、国会（議会）、裁判所（司法）なども含めた"立法、司法、行政を行う国のいろいろな機関が刊行した資料"という意味で使われています。

　このような機関は、活動報告や広報、会議などの記録・報告、経済や環境などの調査報告を、図書・雑誌・パンフレットなどの形にして提供しています。

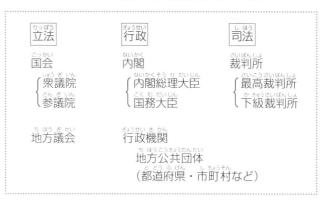

白書

統計

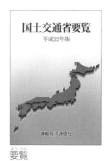
要覧

広報

これらの資料の種類は、大きく次のように分けられます。

> ▶ 議会関係資料：会議録、法令、条約、調査資料
> ▶ 行政関係資料：行政報告、統計報告、調査研究報告、公示記録、審議会答申・研究会報、
> 　　　　　　　　広報資料、行政要覧、解説・手引書、二次資料
> ▶ 司法関係資料：裁判記録（判例）、司法調査資料、司法研究報告

　このような資料は、政治、経済、社会を知るための貴重な資料です。また、統計資料、白書などは、レファレンスツールとしての役割も持っています。

　また、政府刊行物には市販されるものと市販されないものがありますが、どちらの場合も、インターネット上のウェブサイト（電子政府の総合窓口：e-Gov）で無料で公開されていることが多いです。

★灰色文献　gray literature

灰色文献とは、売られていないために手に入れることが難しい資料のことです。たとえば市販されない政府刊行物やテクニカルレポート（政府や企業の専門研究機関が行った調査研究の報告書）、商品カタログや社史などの企業文献、学位論文、大学紀要、特許資料などです。このような資料は、出版流通ルートがはっきりしていない（＝"グレー"な状態にある）ため、「灰色（グレー）文献」と呼ばれています。

★地域資料　local materials

地域資料とは、その地域で出版・刊行されたものや、その地域の出身者の著作物やその地域や地域の人について書かれた資料のことです。地方公共団体や地方議会がつくった資料も、地域資料として扱われています。

地域資料は、戦前までは郷土の歴史や地誌について書かれた資料と考えられていて、郷土資料と呼ばれていました。しかし、1960年代半ばから地域の住民の生活に役立つ資料が中心であるべきという考え方に変わっていき、収集される資料の種類が広がりました。

📚 主な地域資料の種類　major types of local materials

1）地方行政資料：地方公共団体などがつくった地方行政についての資料
2）地域で刊行された資料：
　　商工会議所や農協、学校などの報告書や調査研究など、その地域の団体や人々が刊行した資料
3）地域関係資料：
　　地域の問題・自然・産業・文化など、その地域をテーマにした資料
4）歴史的資料：古文書、古地図など

（2）非印刷資料　materials not printed on paper

①視聴覚資料　audiovisual materials

　視聴覚資料とは、スライドや録音テープ、映像フィルムのように、画像や音声、映像による資料のことです。視聴覚資料には、音だけで映像のない「音声資料」と、スクリーンやビデオデッキなどを通して見る「映像資料」があります。使うときは、専用の機械が必要です。

音声資料			映像資料
レコード	録音テープ	CD	DVD、ビデオテープ

②電子資料　electronic materials

　コンピュータで利用する資料を電子資料と言います。電子資料には、フロッピーディスク、CD-ROM や DVD-ROM での出版物である「パッケージ系電子資料」と、オンライン出版や電子ジャーナルなど、インターネット上で提供される「ネットワーク系電子資料」があります。

★パッケージ系電子資料とネットワーク系電子資料の例
examples of packaged electronic materials and online materials

	パッケージ系電子資料	ネットワーク系電子資料
書誌・目録	例）国立国会図書館蔵書目録『J-BISC』（DVD-ROM/CD-ROM）	⇨ 国立国会図書館オンライン（https://ndlonline.ndl.go.jp/）
新聞	例）読売新聞データベース『読売新聞縮刷版』（CD-ROM）	⇨ ヨミダス文書館 / 歴史館（http://www.yomiuri.co.jp/bunshokan/）（http://www.yomiuri.co.jp/rekishikan/）
雑誌	例）雑誌記事データベース：『大宅壮一文庫雑誌記事索引』（CD-ROM）	⇨ Web OYA-bunko（http://www.oya-bunko.com/）

③マイクロ資料　microforms

　マイクロ資料とは、長期保存、保管スペースの節約などのために写真技術を使って小さくした資料です。マイクロ資料には、ロールフィルム、マイクロフィッシュ、アパーチュアカードなどの種類があります。

ロールフィルム

マイクロフィッシュ

アパーチュアカード

マイクロフィルム・リーダー

読み取りには、マイクロフィルム・リーダーという専用の機械を使います。

★**国立国会図書館のマイクロ資料の例**　examples of the NDL's microforms

図書	大正期・昭和前期刊行図書
雑誌	明治・大正・昭和中期刊行和雑誌
新聞	国内刊行新聞
古文書・貴重書	古典籍資料

（3）印刷されているかどうかという区分によらない資料

materials not classified by whether they are printed or not

①児童資料　materials for children

　児童資料とは、赤ちゃんから中学生ぐらいまでの子どものための資料で、絵本や昔話、児童文学、詩、伝記や歴史的な物語、マンガ、子どものための新聞・雑誌、映画やDVD、ビデオなどがあります。

絵本　『いない いない ばあ』
松谷みよ子 作　瀬川康男 絵
童心社

児童文学　『くまの子ウーフ』
神沢利子 作　井上洋介 絵
ポプラ社

マンガ　『ドラえもん 第1巻』
藤子・F・不二雄
小学館

73

②視覚障害者のための資料　materials for visually impaired people

　　視覚障害者のための資料とは、目が不自由で、ふつうの図書館資料では読書が難しいという人々のための資料です。点字図書や拡大図書、さわる絵本、録音資料、DAISY 資料などがあります。

点字図書	拡大図書	さわる絵本	録音資料	
			カセットテープ	DAISY 資料
		「点字つき さわるえほん しろくまちゃんのほっとけーき」 わかやまけん 作　こぐま社		

③ LL ブック　LL books (intelligible materials which can be easily read)

　　LL ブックとは、主に知的障害やディスレクシア（読み書き障害）の人、学習障害のある人などのためにやさしく書かれた本のことです。写真やイラストなどが多くあり、難しい語彙や表現は使われていないので、読みやすくなっています。

©全日本手をつなぐ育成会

©愛育社

Notes

「LL ブック」は、スウェーデン語の Lättläst（やさしく読める）からできた言葉です。

いろいろな区分

Various Types of Material Classification

....

　図書館資料をどのように分けるかについては、いろいろな方法があります。しかし、図書館で扱う資料が非常に多様化してきているので、実際には一つの分け方（区分）だけを使うのではなく、組み合わせて使うことが多いです。

(1) 印刷されているかどうかという区分

classification based on whether materials are printed or not

（a）印刷資料

印刷書籍

（b）非印刷資料
　　（印刷されていない資料）

CD

千葉県立西部
図書館　新聞
のマイクロフィ
ルム

(2) 形態による区分

classification based on whether materials are in the book form or not

（a）図書（本の形になっている資料）

© 昭文社

地図帳

（b）非図書（本の形になっていない資料）

一枚ものの日本地図

（3）材質による区分

classification based on whether materials are made of paper or not

（a）紙資料

新聞

（b）非紙資料（紙以外のものでできた資料）

千葉県立西部図書館
新聞のマイクロフィルム

（4）刊行頻度による区分

classification based on publication frequency

（a）非継続資料（単行書）

『舟を編む』
三浦しをん
光文社

単行書

（b）継続資料 ┤ 逐次刊行物（新聞・雑誌）
　　　　　　　└ 図書（継続的に出版されるもの）

雑誌

©文藝春秋

（5）サービス対象による区分　classification based on user types

（a）一般成人のための資料

（b）ヤングアダルト資料

（c）児童資料

『ぐりとぐら』
なかがわりえこ 作
おおむらゆりこ 絵
福音館書店

児童書

（d）障害者のための資料

さわる絵本

（6）利用目的による区分
classification based on purposes of use

（a）一次資料（一般資料）

「こころ」
夏目漱石
新潮社

小説

雑誌

©文藝春秋

（b）二次資料（書誌・索引などのレファレンス用資料）

書誌

（7）出版者による区分
classification based on publisher types

（a）民間出版物

©昭文社

（b）官公庁出版物（政府の出版物・地方公共団体の出版物）

政府刊行物

ACQUISITION OF LIBRARY MATERIALS AND COLLECTION DEVELOPMENT

図書館資料の収集と蔵書構成

1 蔵書とは ………………………………………………… What is collection?

　図書館資料には、図書、雑誌、新聞などの印刷資料だけでなく、DVD や CD などの視聴覚資料、電子ジャーナルのような電子資料など、いろいろなものがあります。図書館では、これらの資料を継続的に収集し、整理し、保管しています。そうしてできた図書館資料の集まりを「蔵書」と言います。

　ふつう、図書の集まりを「蔵書」と言いますが、図書館では図書以外の資料も含めて「蔵書」と言います。近年、図書以外の資料が増えたため、図書館で収集した資料ということから、「図書館コレクション」という言い方も使われています。

2 蔵書構成とは ………………………………… What is collection development?

　図書館では、利用者の求めるサービスが提供できるように、計画的に資料を選び、収集しています。また、社会の変化・発展とともに見直しも行われ、よりよい蔵書づくりが進められています。このような蔵書づくりのプロセスを「蔵書構成」と言います。

❸ 蔵書構成のプロセス ···················· Processes of Collection Development

蔵書は、①から⑤のステップを繰り返すことによって構成されます。

Step ❶ 計画をつくる

5年から10年ぐらいの中・長期計画をつくります。
資料の収集方針やガイドラインをつくっておき、
その中で、中・長期計画を決めることが必要です。

Step ❷ 資料の選択

計画にしたがって、資料を選択します。

Step ❸ 資料の収集

選択した資料を取り寄せて、蔵書として
受け入れます。

Step ❹ 資料の整理

目録の作成や資料の分類をします。
資料の装備をして、書架に並べます。

Step ❺ 資料の保存（保管・管理・除籍・廃棄）

書架や書庫を整理し、必要のなくなった
資料は廃棄します。

★ 蔵書の評価　collection evaluation

蔵書は定期的にチェックし、構成のバランスはいいか、利用者のニーズに合っているか確認する必要があります。

収集方針と『図書館の自由』

Acquisition Policies and "Intellectual Freedom in Libraries"

　図書館はそれぞれ、どのような資料を集めるかについて、方針を持っています。この方針を、「収集方針」と言います。収集方針は、図書館の館種、規模、サービス対象（利用者）などに合わせて決められています。

「図書館の自由」"Intellectual Freedom in Libraries"

　収集方針は、それぞれの図書館の目的に合わせてつくられるものですが、すべての図書館が共通して守らなければならない「図書館の自由」という理念があります。この理念は、人々の資料や情報にアクセスできる自由を守るために、外からの圧力によって図書館員が資料を自由に収集できなくなるようなことがあってはいけないということを表したもので、「図書館の自由に関する宣言　1979年改訂」の第1の主文に示されています。（☞ 付録P194「図書館の自由に関する宣言」）また、第1の3には、それぞれの図書館がつくった収集方針を文字に表し、公開することの必要性も述べられています。

「図書館の自由に関する宣言」1979年改訂

第1　図書館は資料収集の自由を有する。

1. 図書館は、国民の知る自由を保障する機関として、国民のあらゆる資料要求にこたえなければならない。

2. 図書館は、自らの責任において作成した収集方針にもとづき資料の選択および収集を行う。その際、

　(1) 多様な、対立する意見のある問題については、それぞれの観点に立つ資料を幅広く収集する。

　(2) 著者の思想的、宗教的、党派的立場にとらわれて、その著者を排除することはしない。

　(3) 図書館員の個人的な関心や好みによって選択をしない。

　(4) 個人・組織・団体からの圧力や干渉によって収集の自由を放棄したり、紛糾をおそれて自己規制したりはしない。

　(5) 寄贈資料の受入にあたっても同様である。図書館の収集した資料がどのような思想や主張をもっていようとも、それを図書館および図書館員が支持することを意味するものではない。

3. 図書館は、成文化された収集方針を公開して、広く社会からの批判と協力を得るようにつとめる。

---

4 蔵書構成の流れ ·················· Work Processes of Collection Development

（1）選書と収集のプロセス　processes of selection and acquisition

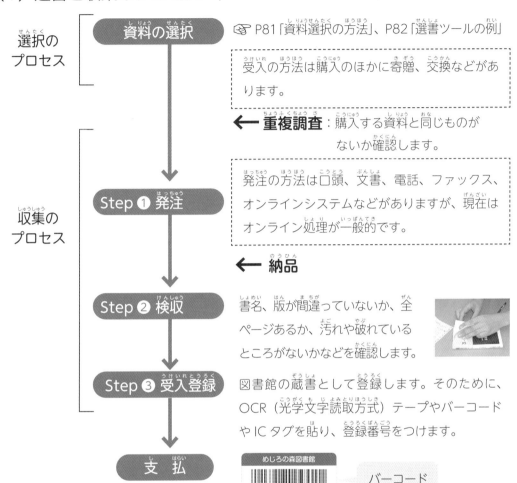

選択の
プロセス

資料の選択 ☞ P81「資料選択の方法」、P82「選書ツールの例」

受入の方法は購入のほかに寄贈、交換などがあります。

←**重複調査**：購入する資料と同じものがないか確認します。

収集の
プロセス

Step ❶ 発注

発注の方法は口頭、文書、電話、ファックス、オンラインシステムなどがありますが、現在はオンライン処理が一般的です。

←**納品**

Step ❷ 検収

書名、版が間違っていないか、全ページあるか、汚れや破れているところがないかなどを確認します。

Step ❸ 受入登録

図書館の蔵書として登録します。そのために、OCR（光学文字読取方式）テープやバーコードやICタグを貼り、登録番号をつけます。

支　払

めじろの森図書館
012340011
バーコード

5章
図書館資料
の収集と
蔵書構成

Point

資料選択の方法　Ways to select materials

資料を選択するには、二つの方法があります。
（a）出版物のリストやパンフレット・書評などの選書ツールを使って選ぶ方法
（b）実際に資料を手にして選ぶ方法
（b）の方法には、図書館員が書店などに行って、資料を見ながら選ぶ方法と、取次会社や書店から見本として図書館へ定期的に持ち込まれた資料の中から選ぶ方法（＝「見計らい」）があります。

大阪市立中央図書館　見計らい本▶

選書ツールの例 Examples of selection tools

1）取次会社の出版情報誌

『新刊全点案内』（図書館流通センター：TRC、週刊）

『新刊情報』（トーハン、週刊）

『アクセス』（地方・小出版流通センター、月刊）

2）取次会社以外の出版情報誌

『これから出る本』（日本書籍出版協会、月2回刊）

「政府刊行物／官報購読／官報公告」（全国官報販売協同組合）

　http://www.gov-book.or.jp/

3）出版社の出版案内（PR誌）

『図書』（岩波書店）https://www.iwanami.co.jp/magazine/#tosho

『青春と読書』（集英社）http://seidoku.shueisha.co.jp/

『本の窓』（小学館）https://shosetsu-maru.com/hon-nomado/

『波』（新潮社）https://www.shinchosha.co.jp/nami/

『ちくま』（筑摩書房）https://www.chikumashobo.co.jp/blog/pr_chikuma/

4）書評

『週刊読書人』（読書人、週刊）

『図書新聞』（図書新聞、週刊）

5）書誌

「全国書誌データ提供サービス」（国立国会図書館）

　https://www.ndl.go.jp/jp/data/data_service/jnb/index.html

「Books出版書誌データベース」（日本出版インフラセンター）https://www.books.or.jp/

(2) 整理と蔵書管理のプロセス processes of collection arrangement and management

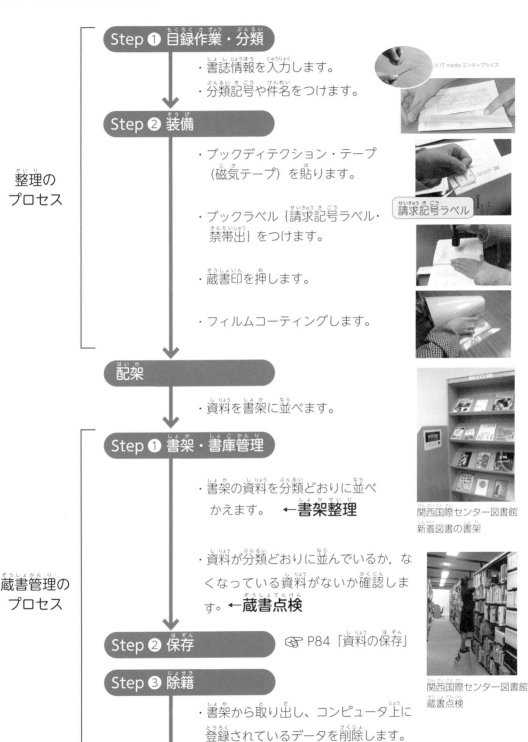

Step ❶ 目録作業・分類

・書誌情報を入力します。
・分類記号や件名をつけます。

© IT media エンタープライズ

Step ❷ 装備

・ブックディテクション・テープ
（磁気テープ）を貼ります。

請求記号ラベル

・ブックラベル {請求記号ラベル・
禁帯出} をつけます。

・蔵書印を押します。

・フィルムコーティングします。

整理の
プロセス

5章
図書館資料
の収集と
蔵書構成

配架

・資料を書架に並べます。

Step ❶ 書架・書庫管理

・書架の資料を分類どおりに並べ
かえます。　←書架整理

関西国際センター図書館
新着図書の書架

・資料が分類どおりに並んでいるか，な
くなっている資料がないか確認しま
す。←蔵書点検

蔵書管理の
プロセス

Step ❷ 保存

☞ P84「資料の保存」

Step ❸ 除籍

関西国際センター図書館
蔵書点検

・書架から取り出し、コンピュータ上に
登録されているデータを削除します。

Step ❹ 廃棄

図書館資料は時間とともに傷んでいきます。図書館資料が傷む主な理由は、以下の４点です。

1）**資料の素材（酸性紙）**　paper quality (acidic paper)
　：酸性紙に含まれる酸が紙の成分であるセルロースを分解するので、紙が黄色くなったり、ぼろぼろになったりする。

2）**環境**　surrounding environment
　：温度・湿度の変化、紫外線、塵・ほこり、虫やカビ

3）**災害**　disasters
　：水害、火災、地震

4）**不適切な利用**　improper use
　：コピーをするときに資料を強く押して壊してしまったり、飲食しながら読んでいて資料を汚してしまったりする。

　図書館では、資料が傷まないようにするための対策（予防）と、傷んだものをできるだけ元に戻すこと（補修・修復）などに取り組んでいます。

（1）予防　preventive measures

①資料の保管環境　environment suitable for material preservation

　紙の資料の場合は、温度は18〜22℃、湿度45〜55％ぐらいで保存するのがいいと言われています。また、紫外線をシャットアウトするために、窓に紫外線防止フィルムを貼ったり、紫外線が出ない蛍光灯を使ったりしている図書館もあります。

　虫から資料を守るために、「くん蒸」という防虫作業をすることもありますが、書架や書庫の掃除をよくして、きれいにしておくことが大切だと言われています。

東京都立中央図書館
窓ガラスに紫外線防止フィルムを貼る作業

②保存容器　preservation boxes

　資料を中性紙でできた保存容器や封筒に入れると、塵やほこり、紫外線などから資料を守ることができます。また、温度や湿度の変化による影響も小さくする

保存容器

ことができます。

③資料の取り扱い　proper handling of materials

　　書架に無理につめこまないようにしたり、正しい利用の仕方を知ってもらうためにパンフレットをつくったりしています。

④防災対策　disaster-prevention measures

　　地震が起きたときのために、書架が倒れないようにしています。また、消火や警報システムに問題がないかもチェックしています。

⑤脱酸処理　deacidification treatment

　　紙に含まれる酸をアルカリで中和すれば、紙が黄色くなったり、ぼろぼろになったりするスピードを遅くすることができます。

⑥メディア変換　media conversion

　　よく利用される資料や、貴重な資料をマイクロフィルム化したり、光ディスクに変えたりして、オリジナル資料の内容を保存します。

（2）補修・修復　repair and restoration

　　資料が傷んでバラバラにならないうちに、資料の補修をしたり、傷んだ資料をなおしたりします。

補修作業

国際交流基金関西国際センター図書館の事例紹介
「外国語資料の選書ツール」

　関西国際センター図書館では、外国語資料の選書をするとき、国立国会図書館がつくっている書誌情報を確認したり、それぞれの言語の資料を扱っている書店のホームページを見たりしています。

①国立国会図書館がつくっている書誌情報

「日本関係欧文図書目録」 http://www.ndl.go.jp/jp/publication/books_on_japan/boj_top_J.html
日本研究の洋書（日本語・中国語・韓国語以外の言語の資料）の情報がわかります。

Books on Japan 2012年1月〜3月
2012/04/24 掲載
Books on Japan トップページへ

分類
・政治・法律・行政
・経済・産業
・社会・労働
・教育
・歴史・地理
・芸術・言語・文学
・科学技術
・学術一般・ジャーナリズム・図書
館・書誌
・特別コレクション
・古書・貴重書
・特殊資料

芸術・言語・文学

Живопись и каллиграфия Китая и Японии на стыке тысячелетий в аспекте футурологических предположений между прошлым и будущем / С.Н. Соколов-Ремизов -- Изд. 2-е, испр. -- Москва : ЛИБРОКОМ, c2009 -- 252 p. ; 22 cm -- (Исследования по искусству Востока)
ISBN 9785397006088   K81-B69

Искусство Японии : иллюстрированная энциклопедия -- Санкт-Петербург : Кристалл, 2009 -- 239 p. ; 24 cm
ISBN 9785960301190 ; 5960301199   K2-B62

Россия - Япония : на пути взаимопонимания культур / редактор-составитель С.Н. Соколов-Ремизов -- Москва : ЛИК, c2008 -- 189 p. ; 22 cm -- (Исследования по искусству Востока)
ISBN 9785382009858 ; 5382009856   K74-B45

Arta japonezǎ / Tomoko Sato -- Bucureşti : Vellant, c2009 -- 128 p. ; 23 cm
ISBN 9789731984117   K81-B70

Estetyka i sztuka japonska : wybrane zagadnienia / Beata Kubiak Ho-Chi -- Kraków : Towarzystwo Autorów i Wydawców Prac Naukowych Universitas, 2009 -- 335 p. ; 26 cm
ISBN 9788324209590 ; 832420959X   K81-B71

Genji monogatari : il principe splendente nelle collezioni del Museo d'Arte Orientale di Venezia / a cura di Fiorella Spadavecchia -- 1a ed -- Venezia : Marsilio, 2008 -- 47 p. ; 24 cm
ISBN 9788831796446   K3-B690

②書店のホームページ

　書店のホームページを見ると、その書店が扱っている資料の情報がわかります。また、新刊情報や、資料の値段や届くまでの日数などがわかる場合もあります。

　そこで、購入したい資料があるとき、いくつかの書店のホームページを見たり、問い合わせをしたりして、

1）その書店がその資料を取り扱っているか
2）値段
3）資料が届くまでの日数
などを確認して、どの書店から購入するかを考えます。

　日本語の書籍、雑誌、新聞などの場合、再販制度（再販売価格維持制度）があるので、日本全国どこでも同じ値段で購入できますが、外国語資料の場合はそのような制度がないので、書店によって値段が違います。そのため、いくつかの書店で取り扱っている場合、値段や届くまでの日数などを比べて、どこから購入するかを決めています。

Notes

むすびめの会（図書館と在住外国人をむすぶ会）のホームページに、「外国語図書を扱っている書店」のリストがあります。
むすびめの会
http://www.musubime.net/

英語・フランス語の資料

丸善　Knowledge Worker　http://kw.maruzen.co.jp/nfc/page.html

紀伊國屋書店　BookWeb Pro　https://pro.kinokuniya.co.jp

「Knowledge Worker」「BookWeb Pro」などの機関用のサイトからは、資料の発注もすることができます。

スペイン語の資料

セルバンテス書店　http://interspain.ocnk.net/

スペイン語、ポルトガル語、イタリア語の資料

イタリア書房　http://italiashobo.com/

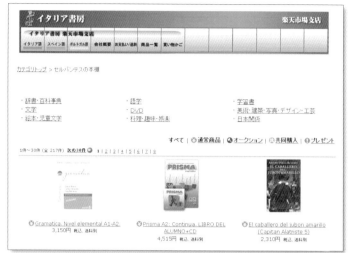

ロシア語の資料

ナウカ・ジャパン　http://www.naukajapan.jp/

＊関西国際センター図書館には
冊子の新刊紹介『リテラ』が
送られてきます。

日ソ　http://www.nisso.net/

＊関西国際センター図書館にはメール
で新刊紹介が送られてきます。

中国語の資料

内山書店　http://www.uchiyama-shoten.co.jp/

東方書店　http://www.toho-shoten.co.jp/

韓国語の資料

高麗書林　http://www.komabook.co.jp/

そのほかの言語の資料

穂高書店　http://www.hotakabooks.com/

藤井洋書　http://www.fujiibooks.com/

関西国際センター図書館では、たとえば「タイ語の日本の絵本や小説の翻訳版はありませんか」と書店に問い合わせをすることもあります。書店によってはリストをつくって送ってくれるので、それを見て選書をすることもあります。

PUBLICATION DISTRIBUTION SYSTEM

出版流通システム

1 出版流通システムとは ············· What is publication distribution system ?

　出版流通システムとは、出版社がつくった出版物が読者の手に届くまでの流通ルート全体のことを言います。

2 出版流通ルート ································· Publication Distribution Routes

　出版物がつくられ、それが読者の手に届くまでにはいろいろな流通ルートがありますが、日本で一番多い流通ルートは、「出版社 → 取次会社（＝出版流通業者 book and magazine distributors）→ 書店」というルートで、「書店ルート」と言われています。この「書店ルート」を通じて出版物の約 65%が読者に届けられています。

出版社　　　　　　　　　取次会社　　　　　　　　　書店

📚いろいろな出版流通ルート　various publication distribution routes

　日本では出版物を書店だけでなく、コンビニエンスストアや大学の日本生活協同組合連合会（生協）、駅の売店など、いろいろな場所で購入することができます。つまり、「書店ルート」のほかに、出版社から取次会社（取次）を通してコンビニエンスストアや生協などに送る出版流通ルートがあって、それらによって出版物が届けられているのです。

コンビニエンスストア・ルート（CVS）：出版社→取次会社（取次）→コンビニエンスストア
ネット書店・宅配ルート：出版社→取次会社（取次）→ネット書店→宅配
生協ルート：出版社→取次会社（取次）→日本生活協同組合連合会の加盟店
鉄道弘済会ルート：出版社→取次会社（取次）→ JR 売店キヨスク

　このような出版流通ルートの中で、近年では雑誌や文庫本やコミックを 24 時間営業で販売している「コンビニエンスストア・ルート」が売上を伸ばしています。
　また、1976 年（昭和 51 年）には「地方・小出版流通センター」という取次会社が設立され、大手の取次会社（取次）が扱わない地方の貴重な出版物や部数の少ない出版物も読者の手に届くようになっています。

1）出版社　publishers

　出版社の数は 2011 年現在、3734 社あり（『出版年鑑 2012』）、そのうちの約80％は東京に集中しています。社員が 1000 人以上の出版社もありますが、多くは中小規模の会社です。しかし、売り上げは大手の出版社が出版物総売上げの約 50％を占めていて、中小の出版社は厳しい状況にあります。

2）取次会社（取次）　wholesale booksellers

　明治時代のはじめごろは、書店は出版社から直接、出版物を購入していました。しかし出版物が増えるにしたがって、出版社と書店の間に立って、出版物の配送をする「取次会社」（取次）ができ、大正時代（1912 ～ 1926 年）になるとその数は 300 社以上になったということです。
　現在も、取次会社（取次）は 300 社ぐらいありますが、「書店ルート」の出版物の大部分は、大手の取次会社である「トーハン（株式会社トーハン）」と「日販（日本出版販売株式会社）」の 2 社によって取り扱われています。どのような出版物をどの書店にどのくらい配るかについては、取次会社（取次）が過去の販売実績のデータなどを見て決めています。（☞ P94「配本問題」）

3）書店　bookstores

　古本屋も含めて「書店」と言う場合もありますが、ふつうは、新刊書を売る店を「書店」と言います。
　これまで書店と言えば、「本屋」と呼ばれる小規模経営の店がほとんどでした。これは、「売れ残っても返品が可能」「値引きはしてはいけない」というシステム

個人経営の書店

（ ☞P93「委託販売制度（委託制度）」P94「再販制度（再販売価格維持制度）」）によっ
て、リスクの少ない安定した営業をすることができたからです。

　しかし近年、このような小規模経営の書店は営業が難しくなっています。その理由は、
書籍や雑誌だけでなく CD やビデオ、ゲームソフトなども売る大型書店が増え、競争が
激しくなったからです。また、コンビニエンスストア、新古書店、インターネット書店な
ど、出版物を手に入れる方法がいろいろ増えたことも影響していると言われています。そ
の結果、小規模経営の書店の数は、年々少なくなっています。

出版システムとその問題点

Publishing System and Its Problems

(1) 委託販売制度（委託制度）　sales on consignment

　委託販売制度とは、出版社が取次会社を通して、書店に書籍や雑誌などの販売をしても
らう販売制度のことです。この制度では新刊書の場合、書店はある期間内（一般に新刊書
籍：120 日間、月刊誌：60 日間、週刊誌：40 日間）であれば、売れ残ったものを取次
会社から出版社に返品できるので、「返品制度」とも呼ばれています。書店にとっては、リ
スクなしにいろいろな種類の出版物を店に並べることができるというメリットがあります。

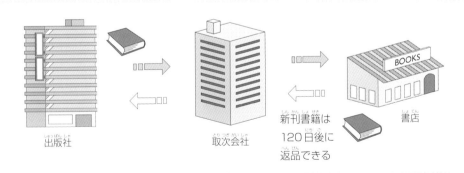

出版社　　　　　　　　　　　　取次会社

新刊書籍は
120 日後に
返品できる

書店

★「買い切り」non-returnable purchase

　委託販売のほかに「買い切り」という制度もあります。これは書店が出版社から買
い取る制度で、返品はできません。買い取ったものが売れなければ、書店の利益はな
くなってしまいます。ですから日本でこの制度をとっている出版社は少なく、岩波書
店や医学書の出版社などだけです。

（2）再販制度（再販売価格維持制度）resale system（resale price maintenance system）

　再販制度とは、出版社が決めた定価で販売する制度です。ふつう、製造元が小売店での販売価格を決めることは「独占禁止法」で禁じられています。ですから、食料品や衣料品や文具などの商品は、小売店が自由に値段を決めて販売しています。しかし、書籍や雑誌、新聞、レコード、音楽用CDなどの著作物は文化的価値があり、それらを広めることが必要なため、出版社が決めた定価で販売することが例外的に認められています。この制度のおかげで、日本全国どこでも同じ値段で書籍や雑誌を購入することができますし、書店も値引き競争をしなくていいのです。

（3）配本問題　book distribution problems

　取次会社は書店へ配った出版物の量や、売り上げなどをコンピュータで管理しています。そのデータをもとに、人気の高い新刊書や話題になっている書籍は、大都市の書店やこれまで売り上げがよかった大型書店などに優先的に配られています。その結果、地方の書店や中・小規模の書店には注文してもなかなか届けられなかったり、すぐに売り切れたりするという問題が起きています。

3 図書館への流通 ………………………………………Distribution Routes to Libraries

　図書館へ出版物を届けるルートも書店の場合と同じで、出版社から取次会社を通して届けられます。図書館は、取次会社や書店から見本として持ち込まれた資料（＝「見計らい本」）（ ☞ P81「資料選択の方法」）から選んだり、出版情報誌や出版案内などから選んで注文したりしています。

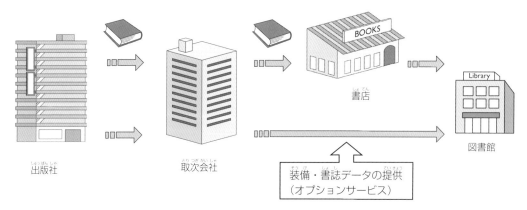

出版社　　　　　　取次会社　　　　　　　　書店　　　　　図書館

装備・書誌データの提供
（オプションサービス）

取次会社のオプションサービス　optional services by wholesale booksellers

　TRC（図書館流通センター）などの取次会社では、オプションサービスとして書誌データをつくって提供したり、ブックラベルや磁気テープをつけるなどの装備をしたりしています。近年はこのようなサービスを利用する図書館が増えています。

　取次会社がつくった書誌情報は MARC（Machine Readable Catalog）データになっています。図書館はこのデータを自館のシステムに取り込んで、蔵書管理などに利用しています。

検索項目	MARC No.	タイトル	著者	出現項目
タイトル	12021596	**司馬遼太郎**の幻想ロマン	磯貝／勝太郎	
件名	96035701	菜の花の賦（うた）	三浦／浩	**司馬遼太郎**→小説
目次	07050620	旅の比較文明学	吉澤／五郎	**司馬遼太郎**の旅
内容細目タイトル	05021419	マーク・トウェイン研究と批評	日本マーク・トウェイン協会	**司馬遼太郎**のマーク・トウェイン
内容細目著者名	04054088	岡本太郎発言！	岡本／太郎	日本文化の源流に挑む／**司馬遼太郎**対話
受賞情報	11034711	昭和天皇伝	伊藤／之雄	**司馬遼太郎**賞　第15回

TRC MARC 検索画面

7章

LIBRARY SERVICES

図書館サービス

図書館サービスとは　What are library services?

　図書館では、資料や情報を集め、その資料が利用できるように整理し、保存をするという仕事をしています。

資料提供サービス

　1　閲覧サービス

　2　貸出サービス

　3　予約・リクエストサービス

　4　複写（コピー）サービス

千葉県立中央図書館

情報提供サービス

　1　レファレンスサービス

　2　利用教育

　3　利用案内

関西国際センター図書館

利用者別サービス

　1　児童サービス

　2　ヤング・アダルトサービス

　3　障害者サービス

　4　多文化サービス

　5　施設へのサービス

大阪市立平野図書館

資料提供サービス　Services for Providing Materials

関西国際センター図書館

1　閲覧サービス ·· In-library Use

　利用者が図書館内で図書館資料を利用することを閲覧と言います。図書館では利用者が閲覧しやすいように、いろいろな工夫をしています。

　たとえば、ほしい資料や情報を探しやすいように、館内にサイン（＝標識）をつけ、書架と書架の間にスペースをとっています。また、利用者が読書をしやすいように、机やいす、ソファーのある閲覧室やブラウジングコーナーなどを用意しています。

大阪市立中央図書館

2　貸出サービス ·· Circulation Work

　利用者が図書館外でも資料を利用できるよう、一般図書、DVD、CD、ビデオなどの貸出をしています。ただ、レファレンス資料や貴重書、雑誌の最新号の貸出はしない図書館が多いです。

　はじめて図書館に来た利用者に対して資料の貸出をする場合、まず利用登録をし、その後、貸出の手続きをします。

（1）利用登録　user registration

　「利用申込書」に氏名、住所、電話番号などを書いてもらいます。そのとき、名前や住所を確認できるもの（運転免許証や健康保険証、住民票、学生証など）が必要です。

　図書館業務にコンピュータを使っている図書館では、これらの情報をコンピュータに入力し、利用者カードを渡します。またこのときに、利用案内を渡して、図書館の利用方法やサービスなどの説明をします。

図書館カード（登録）申込書　　　　　　　大阪市立中央図書館長 宛
個人情報は、図書館業務のためにのみ使用し、厳正に取り扱います。　年　　月　　日

ふりがな		男（おとこ） MALE	年齢（とし）AGE
名前 NAME		女（おんな） FEMALE	歳
住所 ADDRESS	〒		
電話（自宅） PHONE	（　　）	携帯（けいたい） MOBILE PHONE	（　　）
学校名 SCHOOL	中学校 小学校 年年	勤務先（きんむさき） または連絡先（れんらくさき）OTHER #	電話 （　　）
インターネットによるサービスのパスワード発行を希望しますか			する・しない
1. 健康保険証 2. 運転免許証 3. 学生証 4. 外国人登録証 5.			

大阪市立中央図書館　図書館カード登録申込書

★貸出対象者と貸出条件　user qualifications and lending conditions

　どのような人が登録できるのか、それぞれの図書館でルールがあります。たとえば、多くの都道府県立公共図書館や市区町村立公共図書館では、その図書館がある都道府県や市区町村に住んでいる人だけでなく、そこで働いている人や学校に通っている人も利用者カードをつくることができます。

地域の学校の学生

LIBRARY

公共図書館

地域に住んでいる人

地域で働いている人

Point

　大学図書館では、主にその大学の学生、教員、職員などに対してサービスを行っていますが、近年、その地域に住んでいる一般の人も利用できるようにしている図書館が増えています。ただ、大学図書館の場合は、大学生、大学院生、教員、地域の人など、立場の違いによって利用条件（貸出期間・冊数など）にも違いがあることが多いです。

（2）貸出　lending

　利用者が借りたい資料をカウンターに持って来たら、図書館業務用コンピュータで、利用者カードから利用者データを読み取ります。そこに資料から読み取った資料データをつけることで、貸出の手続きができるようになっています。

　資料を貸し出すときには、返却期限を知らせます。

内灘町立図書館

（3）返却　returning

　利用者が資料をカウンターに持って来たら、図書館業務用コンピュータで資料データを読み取って、利用者データから資料データをはずします。これによって返却されたことになります。

★返却ポスト　book return / book drop

　図書館が開いていない時間や休館日に返却できるように、図書館の入り口に返却用のポストがあります。また近くの駅などに返却ポストをおいている図書館もあります。

大阪市立中央図書館　返却ポスト

★書架にもどす前に
before returning to a bookshelf

　返却の手続きが終わった資料は、書架に戻されます。しかし、すぐに書架に戻さないで、返却された日はブックトラックにおいて、ほかの人が借りられるようにしている図書館も多いです。このようにすると、人気のある資料が利用されやすくなり、また書架に戻す資料も少なくなります。

「今日返却された資料」と書かれていることも多いです。

大阪市立中央図書館　ブックトラック

（4）督促　overdue notice

　返却期限が過ぎても、貸し出した資料がなかなか返されない場合、借りた人に電話やはがき、電子メールなどで知らせます。電話やはがきの場合、ほかの人にどんな資料を借りたのか、わからないようにするために、冊数だけを知らせることもあります。

資料返却を督促する電子メールの例

3 予約・リクエストサービス······························ Reservation and Request

　利用者が見たい資料が貸出中のとき、申し込みをしてもらうことを予約サービスと言います。
　また、利用者が見たい資料を図書館が持っていない場合に、購入したり、ほかの図書館から借りたりして、利用者にその資料を提供することをリクエストサービスと言います。

（1）予約サービス　reservation

　予約するとき、申込用紙に予約したい資料の情報と利用者情報を書いて、カウンターに出します。カウンターの担当者は、図書館業務用コンピュータで予約の手続きをします。
　近年は、図書館に行かなくてもインターネット上のOPACを使って予約できる図書館も多くなっています。

大阪市立中央図書館　予約カード

予約された資料が返却されたら、予約した人に電話やはがき、電子メールなどで連絡します。

予約された資料はカウンター内に取り置きします。

（予約されていた本が届きましたよ。）

（そうですか。じゃ、取りに行きます。）

（2）リクエストサービス　request

図書館にない資料を購入してほしい場合、利用者はほしい資料の情報を書いて、申し込むことができます。

図書館は、収集方針や予算を考え、購入するかどうかを決めます。利用が少ないと思われる資料や、値段が高い上に利用がそれほど多くないだろうと思われる資料については購入せず、その資料を持っている図書館を紹介したり、ほかの図書館から借りて利用者に提供したりしています。

購入希望資料申込書
Request for the purchase of a book

［太線の枠内だけ記入してください］　　国際交流基金 関西国際センター図書館

申込者	氏名 （Name）		身分証明番号 （ID.No.）	
	研修名 （Course）		部屋番号 （Room No.）	
資料名　（Title）				
著者名　（Author）				

関西国際センター図書館　リクエスト申込書

4 複写（コピー）サービス ·· Photoduplication

ほとんどの図書館では、図書館資料の複写（コピー）サービスを提供しています。ただ、DVDやCD、ビデオなどの視聴覚資料のコピーはできません。また、著作権法でコピーの量やコピーできないものなどが決められているので、図書館では著作権法にしたがってサービスを提供しています。

【図書館でのコピーサービスのルール】

（a）コピーできるのは、資料の一部（資料全体の約半分まで）

（b）一人一部だけコピーできる。

（c）雑誌の最新号は、一つの記事の約半分までしかコピーできない。

情報提供サービス　Information Services

1 レファレンスサービス ·· Reference Services

レファレンスサービスとは、利用者が資料や情報を探したり、調べたりするのを手伝うサービスです。たとえば、図書館資料などを使って情報を提供したり、情報のあるところをアドバイスしたりします。図書館によっては「参考業務」「参考調査」などとも言われています。

大阪市立中央図書館　レファレンスサービスカウンター

（1）レファレンスサービスの種類　types of reference services

レファレンスサービスには、次のようなサービスがあります。

（a）図書館の使い方や、ほしい情報の探し方を教える「図書館利用のサポート」

（b）利用者がほしい資料が自館にあるか調べ、ない場合にどこにあるか探す「所蔵・所在調査」

（c）利用者がほしい情報を図書館の資料を使って、代わりに探す「事実・文献・書誌的事項の調査」

レファレンス内容	例
（a）　図書館利用のサポート	「何冊まで借りられるか」 「OPAC や CD-ROM の使い方がわからない」 「『世界の日本語教育』という雑誌が図書館のどこにあるかわからない」
（b）　所蔵調査 　：資料がその図書館にないか調べる 　所在調査 　：資料がどこにあるか調べる	「与謝野晶子について最近書かれた論文がこの図書館にあるか」 「与謝野晶子について最近書かれた論文がこの図書館にないなら、どこにあるか」
（c）-1　事実調査 　：人、もの、ことがらなどに 　　ついて調べる	「平塚らいてうの本名と生年月日が知りたい」 「女性や女性問題についての専門図書館が大阪にあるかどうか知りたい。開館時間も知りたい」
（c）-2　文献調査 　：資料について調べる	「日本の忘年会について英語で書かれた本が読みたい」 「大学生のアルバイトについて書いた新聞記事があれば見たい」
（c）-3　書誌的事項調査 　：資料の詳しいデータを調べる	「村上春樹の『ノルウェイの森』の出版年と出版社、価格を教えてほしい」

自館で答えられない場合の情報サービス：レフェラル・サービス
Referral service: available when requested information is not available

　利用者の質問に図書館の資料を使ってうまく答えることができないとき、ほかの図書館や機関に問い合わせて答えたり、その質問に答えられるほかの図書館や機関を紹介したりします。そのため、図書館ではいろいろな機関の情報を集めたり、ファイルをつくったりしています。このサービスは、図書館の資料を使って行うサービスではないので、レファレンスサービスからさらに発展したサービスです。

最新の文献情報を提供する情報サービス：カレントアウェアネス・サービス
Current awareness service: for providing latest literature information

　図書館では、利用者のニーズに合わせて、専門雑誌の最新号の目次を提供するサービス（＝「コンテンツシートサービス」）や、利用者に登録してもらったキーワードから情報検索して、最新の文献情報を電子メールで提供するサービス（＝選択的情報提供 Selective Dissemination of Information）なども行っています。このようなサービスによって、利用者は関心のあるテーマの最新情報を知ることができます。

★レファレンス資料　reference materials

　レファレンスに使われる資料には、辞書、事典、ハンドブック、地図、年鑑、統計資料や、書誌、目録などがあります。このほかに、新聞などの DVD-ROM や CD-ROM、「日経テレコン 21」のようなオンラインで提供されるデータベース資料もレファレンス資料として使われています。

　レファレンス資料はふつう貸し出しません。調べるために必要なところを見るだけで、一般図書のように一冊全部を読むわけではないからです。多くの図書館では、一般図書と分けてレファレンスコーナーをつくり、レファレンス資料をいつでもだれでも利用できるようにしています。

大阪市立中央図書館　レファレンス資料コーナー

Notes

パスファインダー　pathfinder

大阪市立中央図書館
パスファインダー

　図書館では、あるテーマについて調べるときに役立つ資料（図書・雑誌、データベース、ウェブサイト）や情報の探し方を簡単に紹介したものをつくっています。これをパスファインダーと言います。たとえば大阪市立図書館では、「地図の調べかた」「医療情報の調べかた」「外国語資料の調べかた」など、いろいろなテーマでパスファインダーをつくっています。

　パスファインダーは紙で提供されることが多かったのですが、近年はホームページ上に公開する図書館も増えています。

（2）レファレンスの受付・回答の方法
accepting reference service requests and ways to offer answers

　レファレンス・サービスは、図書館に行かなくても、手紙や電話、Fax などで問い合わせたり、答えをもらったりすることができます。電子メールでもサービスが受けられる図書館もあります。

★レファレンス記録　reference record

　どのようなレファレンスがあったか記録している図書館もあります。そして、過去のレファレンスの例を「レファレンス事例データベース」として、図書館のホームページで公開している図書館もあります。

レファレンス記録

レファレンスを受けた日　：　2012 年 4 月 5 日（ 木 ）　担当：山本
受付方法　：　⦿口頭　　電話　　文書　　その他（　　　　　）
質問者　　：　研修生　　⦿日本語専門員　　職員　　その他（　　　　　）
質問内容（何について何を求めるか、利用目的など、できるだけ具体的に）：

　　日本の「忘年会」について　英語で紹介している本が見たい

質問の種類：　１）所蔵・所在調査　　　　　５）調査方法の案内
　　　　　　　２）書誌事項調査　　　　　　　・文献・資料
　　　　　　⦿３）文献調査　　　　　　　　　・ツールの使い方
　　　　　　　４）事実調査　　　　　　　　６）他機関紹介

利用した資料・回答：

・「英文日本絵とき事典２　生活編」（384/L75）
　　　　　　　　　"宴会とパーティ"　P 154, 155
・「たのしく読める日本のくらし　12 ヶ月」（386.1/ko51）
　　　　　　　　　"Bonenkai"　　　P 78
・「ハンドブック英語で紹介する日本キーワード３０５」（302.1/Sa85）
　　　　　　　　　"忘年会"　　　P 130

備考：
「忘年会」では件名でさがせなかったので、「日本」「文化紹介」「習慣」でさがした。

関西国際センター図書館
レファレンス記録例

❷ 利用教育 ·· Library Use Education

　図書館では、いろいろな資料や情報をスムーズに利用してもらえるように、利用者に資料や情報の利用方法を伝える「利用教育」を行っています。

（１）大学図書館での利用教育　library use education at university libraries

　多くの大学図書館では、図書館の使い方や図書館資料などを知ってもらうために、新入生などに対して図書館オリエンテーションや図書館ツアーを行っています。また、OPACやデータベースなどの使い方を教える一般的な情報検索の講習会や、あるテーマについてのさらに詳しい情報検索方法を教える講習会なども行っています。

①図書館オリエンテーション　library orientation
　　図書館の利用方法、サービスの紹介、論文や情報の探し方などを説明します。
　　（例）「新入生オリエンテーション」

②図書館ツアー　library tour
　　はじめて図書館を利用する人のために、図書館の案内をしながら、貸出や資料の検索方法、サービスの紹介をします。
　　（例）「図書館案内ツアー」

③一般的な情報検索の講習会　workshop for general information retrieval
　　文献検索をする人のために、OPAC、データベース、電子ジャーナルなどを使って、図書や雑誌の探し方、文献の探し方、相互貸借（ＩＬＬ）などについて説明します。
　　（例）「文献検索講習会　入門編」（徳島大学）、「情報探索入門」（大阪大学）

④あるテーマについての情報検索方法を教える講習会
workshop for teaching how to retrieve theme-specific information
　　（例）「文献検索講習会　応用編１　国内文献の探し方　医中誌Web」
　　　　　「文献検索講習会　応用編２　海外文献の探し方　PubMed」（徳島大学）

7 章

図書館
サービス

105

（2）公共図書館での利用教育　library use education at public libraries

　規模の大きな公共図書館では、図書館を案内しながら、中央館と分館が協力している図書館のシステムや、返却ポストや地下書庫の様子、サービス内容、利用規則などを説明する「図書館ツアー」が行われています。また、その図書館の OPAC の使い方や、ビジネス情報や医療情報などのデータベースの使い方を教える講習会などもあります。

①図書館ツアー　library tour

　　　（例）「としょかんたんけんツアー」、「地下書庫見学ツアー」、
　　　　　「聴覚障がい者向け図書館ガイドツアー」（大阪府立中央図書館）

大阪府立中央図書館　地下書庫

②一般的な情報検索の講習会　workshop for general information retrieval

　　　（例）「本の探し方ツアー　～ OPAC の使い方講座～」（東京都府中市立図書館）

③あるテーマについての情報検索方法を教える講習会
workshop for teaching how to retrieve theme-specific information

　　　（例）「オンライン・データベースの入門講座」（大阪府立中之島図書館）
　　　　　「新聞記事検索」「ビジネス情報検索」「医療情報検索」（東京都立中央図書館）

図書館では、利用案内のパンフレット・リーフレット、ポスターや、DVD や CD、ビデオなどの視聴覚資料、ホームページなどを通して、図書館の利用方法やサービスについての情報を提供しています。

（1）パンフレット・リーフレット　pamphlets and leaflets

パンフレットやリーフレットには、館内案内図、図書館の開館日・開館時間、図書館への行き方、提供しているサービスや資料、OPAC の使い方などが書かれています。はじめて図書館に来た利用者のためだけでなく、見学者に図書館を紹介するときにも使われます。

（2）ホームページ　web pages

ホームページでは、パンフレットやリーフレットで提供している情報のほかに、ホームページの利点を生かして、いろいろな案内やサービスを提供しています。

- ▶ 図書館からのお知らせや、セミナー・催し物などの案内
- ▶ OPAC による蔵書検索、資料の予約
- ▶ レファレンス（調べ方ガイド）

大阪府立図書館

7章

図書館
サービス

利用者別サービス　Services Based on User Types

1 児童サービス ·····Services for Children

ゼロ歳から中学生（15歳ぐらい）までの子どもに対する図書館サービスを児童サービスと言います。公共図書館では、子どもたちに読書の楽しみを伝え、読書が習慣になるようにサポートしています。

（1）設備・施設　equipments and facilities

多くの公共図書館では、児童サービスのためのスペースをつくっています。子どもが使いやすいように、低い書架やいす、テーブルなどが使われています。

上田市立真田図書館
児童書コーナー

（2）資料　materials

絵本、児童書だけでなく、紙芝居や、子どものためのDVDやCD、ビデオなどの視聴覚資料（AV資料）があります。

大牟田市立図書館　子どもが読みたい本をすぐに見つけることができるように、表紙を見せて並べた展示

（3）児童サービスの活動　activities for children

公共図書館では、資料の貸出やレファレンスなどのサービスのほか、読み聞かせやストーリーテリング、ブックトークなど、子どものためのいろいろな活動を行っています。

①読み聞かせ　reading aloud

　読み聞かせは、絵本や児童書を子どもたちに読んで聞かせる活動です。

②ストーリーテリング　storytelling

　ストーリーテリングは、本を読んで、その内容を覚えておいて、自分の言葉で話して聞かせる活動です。

 おはなし会　Gathering for storytelling and other related activities

　公共図書館では、週に1回から月に1回、子どもにお話を聞かせる会を開いています。司書やボランティアなどが、絵本の読み聞かせや、ストーリーテリング、紙芝居、人形劇などを行っています。

　おはなし会のための部屋がある図書館もありますし、児童コーナーにじゅうたんをしいて、おはなし会のためのコーナーをつくっている図書館もあります。

大阪市立東住吉図書館

---

③ブックトーク　book talk

　ブックトークは、あるテーマについて書かれた本を何冊か選び、その本に出てくる人や出来事を紹介したり、本の一部を読んで聞かせたりする活動です。本を紹介して、本を読むきっかけをつくり、読書の楽しさを伝えるための活動で、子どもだけでなく大人に対しても行われています。

④図書館外で行う児童サービスの活動　outside activities for children

★幼稚園・保育園、学校への訪問
visits to kindergartens, nursery schools, and elementary schools, etc.

　幼稚園や保育園、学校などで図書館員が読み聞かせやストーリーテリング、ブックトークを行うこともあります。

保健所への訪問:「ブックスタート」 Visits to healthcare centers: "Book start"

　定期健診などで保健所に来た赤ちゃんとその保護者に、図書館員やボランティアが絵本をプレゼントするサービスです。そのときに、絵本の楽しみ方をまとめた冊子や、絵本のリストなどもいっしょに渡しています。

　このサービスは、1992年にイギリスのバーミンガムで始まりました。日本では2001年(平成13年)に12の市区町村で始まりました。

平塚市図書館
ブックスタートパック
※パック内容は自治体
　によって違います

ブックスタート事業

❷ ヤングアダルトサービス (YAサービス) ····· Services for Young Adults

　中学生や高校生など、10代の利用者(12〜18歳ぐらいの利用者)に対して行われる図書館サービスをヤングアダルトサービスと言います。

　1920年代にアメリカで始められたサービスで、日本では1974年(昭和49年)、大阪市立中央図書館に10代の利用者のためのコーナーがつくられたのが最初です。

　ヤングアダルトサービスを行っている多くの公共図書館では、専用のコーナーをつくって、お薦めの図書や新着図書のリストや、宿題をするのに役立つ資料を用意したり、一日図書館の仕事を体験する「一日図書館員」という活動を行ったりしています。

> **ヤングアダルトサービス例　examples**
> ▶ お薦めの図書や新着リストをつくる
> ▶ 宿題をサポートするための資料を用意する
> ▶ 一日、図書館員になってもらう
> ▶ 掲示板をおく
> ▶ 展示会を開く
> ▶ 会報をつくる
> ▶ 図書館ボランティアをおく
> ▶ 落書きノートを用意する
> ▶ 投書箱をおく
> ▶ ブックリストをおく

❸ 障害者サービス ·······························Services for Disabled People

　視覚障害者、聴覚障害者、肢体障害者、知的・精神障害者や学習障害のある人など、図書館を利用するのに障害がある人々に対して行われる図書館サービスを障害者サービスと言います。

（1）視覚障害者への図書館サービス　services for visually-impaired people

　図書館では視覚障害者のために点字ブロックや字の大きなサインなどを用意しています。また、点字資料や録音資料などの資料を収集し、提供しています。そして資料を利用するためのいろいろな機器やサービスを提供しています。

▶ 設備　equipments and facilities

7 章

図書館
サービス

大阪市立中央図書館
点字ブロック
（視覚障害者誘導用ブロック）

大阪市立中央図書館　対面朗読室

大阪市立中央図書館
字の大きなサイン

▶ 資料　materials

拡大図書（大活字本）

点字図書

さわる絵本

録音資料（カセットテープ、CD）

DAISY 資料（デジタル録音資料）

> **Point**
>
> ## DAISY（Digital Accessible Information SYstem）資料とは
>
> 　デジタル録音物なので、CD・MD・パソコンのハードディスクなどに保存でき、「聴きたい場所にすぐジャンプできる」「音の質が変わらない」など、カセットより使いやすいものです。

▶ 機器・設備　instruments and equipment

拡大読書器

DAISY 再生録音機

点字タイプライター

点字プリンタ

①資料の提供　providing materials

　　図書館には、大活字本や点字資料、録音資料など、いろいろな資料があります。資料は購入するものもありますが、図書館でボランティア（点訳・音訳の協力者）などによってつくられるものもあります。また、資料がない場合、全国の図書館から借りて、提供しています。

 ほかの図書館の資料を利用するためのツール
　Tools for using other libraries' materials

1）『点字図書・録音図書全国総合目録』（☞2章「いろいろな総合目録の作成」P23）

　　"National General Catalog of Braille Books and Audio Books"

　　全国の公共図書館や点字図書館でつくられた点字図書や録音図書を、国立国会図書館のウェブサイトから検索することができます。また年に2回出されるCD-ROMを利用することもできます。

2）「サピエ」Sapie

　　視覚障害のある人々に、点字資料や録音資料〔カセットテープ、電子化された録音資料（DAISY資料）など〕や地域・生活情報などを提供しているホームページです。自分のパソコンを使って、全国の点字図書館などでつくられた点字資料や録音資料の目録をウェブサイト上で検索したり、貸出の予約をしたりすることができます。また、点字データや音声データをダウンロードして、読んだり聴いたりすることもできます。

（https://library.sapie.or.jp/）

②対面朗読サービスの提供　face-to-face reading services

　　視覚障害者や肢体障害者など、自分で資料を読むのが難しい人に対して、代わりに資料を読んであげるサービスです。図書館の資料だけでなく、利用者が持ってきた資料やパンフレット・手紙などを、図書館員やボランティア（朗読協力者）が声に出して読みます。

③郵送貸出や宅配サービス　lending by mail and home delivery

　　図書館では、資料の郵送サービスや、図書館員が利用者の家まで車や自転車などで資料を届ける宅配サービスも行っています。

　　視覚障害者に点字、盲人用テープ、CD などを郵送する場合、郵便料金はかかりません。また、視覚障害者に図書館が一般の資料を郵送する場合は、郵送料は半額になり、その料金は図書館が支払っています。

（2）聴覚障害者への図書館サービス　services for hearing-impaired people

聴覚障害者のために、点滅ランプ付きの電光掲示板などでお知らせがわかるようにしています。

①手話、字幕入りの映像資料の提供　providing image materials with sign language and captions

　　図書館では、手話や字幕の入った映像資料を提供しています。

②FAX や電子メール、手話や筆談での情報提供

information services by fax, e-mail, sign language, and handwriting

　　図書館の開館時間の問い合わせやレファレンスなどは、FAX や電子メールが使われています。また図書館では、手話ができる図書館員がいれば手話を使い、いなければ筆談でコミュニケーションをしています。

（3）肢体障害者への図書館サービス　services for physically-disabled people

　体が不自由で、歩いて出かけることが難しい人々のために、車いす用鏡付きエレベーターや段差のないスロープを設置したり、書架と書架の間を車いすが通れる幅にしたり、使いやすい家具をおいたりしています。

大阪市立中央図書館
車いす用鏡付きエレベータ

茨城県立図書館
段差のないスロープ

大阪市立中央図書館　車いす用閲覧机

★郵送貸出や宅配サービス　lending by mail and home delivery

　図書館まで来ることができない利用者のために、資料の郵送や、図書館職員が利用者の家まで資料を届ける宅配サービスを行っています。資料を郵送する場合、郵送料は半額になりますが、その料金は図書館が支払っています。

4 多文化サービス ……………………………………… Multicultural Services

　主に言語・民族・文化などの異なるマイノリティ（少数者）のために行う図書館サービスを、多文化サービスと言います。1960〜70年ごろからカナダやオーストラリアなどのような、ほかの国から移ってきた人々が多い国々で始まり、広まっていったサービスです。このサービスは、このようなマイノリティ（少数者）の言語や文化などをマジョリティ（多数者）である人々が理解するためのものでもあります。

　日本の公共図書館では、1970年代に東京都立中央図書館で、中国語や韓国・朝鮮語の資料を「和漢書」としてではなく「外国語資料」として収集し始めていましたが、多文化サービスは一般的にまだ行われていませんでした。しかし、1986年（昭和61年）にIFLA東京大会で紹介されてから広く知られるようになりました。現在では、主にマイノリティ（少数者）が多く住んでいる地域を中心にサービスが提供されています。

（1）資料　materials

　公共図書館では、日本に住むマイノリティ（少数者）と、そのような人々の言語や文化などに興味のあるほかの利用者のために、図書、新聞・雑誌、視聴覚資料など、いろいろな資料を集めています。

①日本での生活に役立つ資料・情報　materials and information useful for living in Japan

- 日本語を勉強するための資料
  - （例）日本語の文法や会話の図書や辞書、DVD、CD、ビデオ
- 日本文化や歴史などがわかる資料
  - （例）日本の武道や伝統芸能、日本史に関する資料
- 地域の生活情報
  - （例）国際交流のグループなどのパンフレットやミニコミ紙
- 医療情報
  - （例）妊娠、出産、育児などの資料

大阪市立中央図書館

②自分の国についてわかる資料や情報

materials and information useful for understanding one's own country

- 国の文化や歴史、生活習慣などがわかる資料

- 国の状況がわかる最新情報
  - （例）新聞・雑誌

③リラックスできて楽しめるもの　relaxing and fun materials
- （例）小説、料理や旅行の資料

④子どものための資料　materials for children
- （例）絵本・児童書、国の学校教科書

　マイノリティ（少数者）の言語での資料がほとんどですが、「①日本での生活に役立つ資料・情報」には、簡単な日本語で書かれたものや、日本語の意味がわかるように翻訳がついたものなどもあります。

（2）外国語資料の提供　providing materials in foreign languages

★配架　shelving

外国語資料コーナーのある図書館では、それぞれの言語ごとに配架しています。（☞ P117　大阪市立中央図書館の外国資料コーナー）

（3）多言語での情報提供　providing multilingual information

図書館では、図書館の館内表示、図書館カード（登録）申込書、利用案内などをその資料の言語で書いたり、日本語に外国語の訳をつけたり、漢字にひらがなをつけたりして、わかりやすくしています。

大阪市立中央図書館　館内案内

大阪市立中央図書館　返却ポスト

大阪市立中央図書館　中国語資料の書架

大阪市立中央図書館　図書館カード申込書

横浜市立中央図書館　利用案内

①図書館のホームページで所蔵検索　collection search on library websites

多くの図書館では、図書館のホームページを日本語だけでなく、英語でも読めるようにしています。中には、中国語、韓国・朝鮮語、ポルトガル語やスペイン語など、いろいろな外国語で読めるようにしている図書館もあります。また、見たい外国語資料が図書館にあるかどうか検索したり予約したりすることができる図書館もあります。

大阪市立中央図書館の外国資料コーナー
2013年（平成25年）5月現在

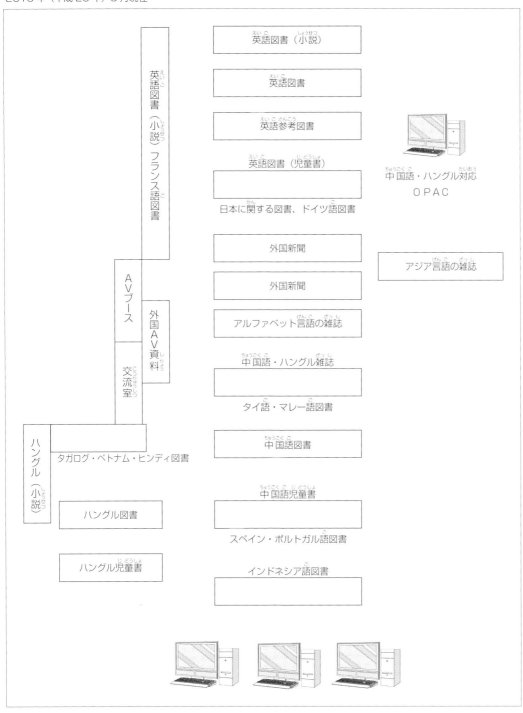

英語図書（小説）

英語図書

英語参考図書

英語図書（児童書）

日本に関する図書、ドイツ語図書

外国新聞

外国新聞

アルファベット言語の雑誌

中国語・ハングル雑誌

タイ語・マレー語図書

中国語図書

中国語児童書

スペイン・ポルトガル語図書

インドネシア語図書

英語図書（小説）フランス語図書

AVブース

外国AV資料

交流室

ハングル（小説）

タガログ・ベトナム・ヒンディ図書

ハングル図書

ハングル児童書

中国語・ハングル対応
OPAC

アジア言語の雑誌

②いろいろな言語で検索できる OPAC　OPAC search in various languages

　日本には、中国語や韓国・朝鮮語、英語だけでなく、ロシア語やインドネシア語など、いろいろな言語の資料の検索が OPAC でできる図書館もいくつかあります。

　日本語資料を検索する OPAC で外国語資料も検索できる図書館もありますが、日本語やローマ字を使う言語の資料とは別に、中国語や韓国・朝鮮語の資料のための OPAC がある図書館もあります。また、OPAC を使って検索ができない資料は、図書の表紙のコピーや所蔵リストのファイルを用意している図書館もあります。

大阪市立中央図書館
中国語、韓国・朝鮮語の OPAC

CD(하드)

××ハングルモード検索××

No.	資料管理番号	請求記号	タイトル	歌手名・発行所	内容	金額
	1070410830		WAX02	Wax		
	7610397394		WAX02	J-entercom	X21	2,625
	1070410871		god chapter4	G.O.D		
	7610397395		god chapter4	에천미디어	X21	2,625
	1070410889		이기찬 NEWSTORY	이기찬		
	7610397396		イ・キチャン NEWSTORY	서울음반	X21	3,000
	1070410863		uhjunghwa hwa 花7 seven	엉정화		
	7610397397		uhjunghwa hwa 花7 seven	CREAM ENTERTAINMENT	X21	2,625
	1070410822		Brown Eyes	Brown Eyes		
	7610397398		Brown Eyes	IK POP	X21	2,415
	1070410848		KIMDONG RYUL 轉姬	김동률		
	7610397399		KIMDONG RYUL 橫姬	다영에이보이	X21	2,415
	1070410855		SHINHWA vol.4 HEY,COME ON!	신화		
	7610397400		SHINHWA vol.4 HEY,COME ON!	IK POP	X21	2,625
	1070410897		Jo sung mo 4 No more love	조성모		
	7610397401		Jo sung mo 4 No more love	도레미미디어	X21	2,415
	1070410905		PARK HYO SHIN SECOND STORY	박효신		
	7610397402		PARK HYO SHIN SECOND STORY	SHINHON INTERNATIONAL	X21	2,415
	1070411218		Live Toy1	토이		
	7610397403		Live Toy1	IO MUSIC	X21	1,365
	1070411226		Live Toy2	토이		
	7610397404		Live Toy2	IO MUSIC	X21	1,365
	1070410996		JO KYU CHAN 6th	조 규찬		
	7610397406		JO KYU CHAN 6th	Universal Music	X21	1,365

大阪市立中央図書館　CD の所蔵リストのファイル

（4）行事、展示　events and displays

　図書館では、いろいろな国の文化を紹介する行事や展示を行っています。また、子どものために外国語で絵本を読み聞かせる「おはなし会」などを行っている図書館もあります。

★大阪市立中央図書館での行事　Events at Osaka Municipal Central Library
「感じてみよう！　国際交流」
　　2005 年「心に響く歌　ポルトガルの民族歌謡〜ファド」
　　2006 年「音楽とともに生きる〜アフリカ民族楽器の世界」
　　2007 年「森と草原の音楽：南シベリア・トゥバ民族の歌」
　　2008 年「カリブ海からやってきた　不思議な楽器スティールパンコンサート」
　　2009 年「体験！　アジアの遊び」
　　2010 年「中国の端っこを歩いてみよう」
　　2011 年「イタリアへようこそ ―イタリア語の起源とイタリア人の県民性」
　　　　　　「いろんな国のくらしとあそび」

外国語資料の整理 Processing materials written in foreign languages

外国語資料は、中国語や韓国・朝鮮語、タイ語やロシア語のように、ローマ字にない文字のコンピュータ入力が問題です。そこで、多くの図書館では、ローマ字にない文字をローマ字に置き換えて、つまり「翻字」（ローマ字化 Romanization）をして、データの入力をしてきました。

どの言語のどの文字にどのようなローマ字を当てはめるかは、アメリカ議会図書館がつくった「ALA-LC 翻字表」（ALA-LC ROMANIZATION TABLES）に詳しく書かれています。日本でも多くの図書館が「ALA-LC 翻字表」にあるルールを使って、それぞれの図書館システムで目録をつくっています。

ただ、外国語資料の中でも中国語や韓国・朝鮮語については、「翻字」（ローマ字化）をして日本語やローマ字を使う言語の資料と同じ目録にデータを入力するのではなく、中国語や韓国・朝鮮語の文字のためのシステムを使って目録をつくっている図書館も多いです。

また、資料の数があまり多くない場合、図書の表紙のコピーのファイルや、資料のリストをプリントアウトしたファイルを用意している図書館もあります。図書館では、「タイ語図書 2001,1」のように、管理のために必要なデータ（言語、受け入れた年、受け入れ順の番号など）を入力しているのですが、このようなデータを表紙のコピーにも書いておくと、管理のためのデータと表紙のコピーを結びつけることができ、その資料がどのコーナーにあるどんな分野の資料かもわかるので、便利です。

ロシア語 （キリル文字）	翻字
Б	B
В	V
Г	G
Д	D
Ж	Zh
З	Z
И	I
Л	L
Ф	F

ALA-LC 翻字表 （ロシア語）抜粋

7章

図書館
サービス

大阪市立中央図書館
タイ語図書の表紙をコピーしてつくった目録

大阪市立中央図書館　中国語図書の新着リスト

119

近年は、コンピュータや図書館システムの技術が進み、いろいろな文字が使えるようになってきたので、システム上の問題はなくなりつつあります。ただ、これまで「翻字」（ローマ字化）をしたり、中国語や韓国・朝鮮語の資料だけ別にしたりして外国語資料の目録をつくってきた図書館で新しいシステムに変えていくのは、多くの時間とお金がかかるため、簡単ではないようです。

　また、「翻字」（ローマ字化）をする場合も、外国語の文字で書誌データを入力する場合も、結局、その言語の文字を理解し、必要な情報をとることができる"人"がいなければできません。ですから、外国語資料の整理は、それぞれの図書館の状況に合わせて、いろいろな方法で行われているようです。

5 施設へのサービス（アウトリーチ）Services for Institutions (outreach)

　病院や老人介護施設、刑務所、少年院などの施設にいて、図書館に来ることができない人のために、移動図書館（ブックモビル）が訪問したり、病院や施設に資料をまとめて貸し出す「団体貸出」を行ったりしています。また、病院の中に図書コーナーをつくったり、子どものために「おはなし会」を開いたりもしています。

　刑務所や少年院などの施設には、図書コーナーがあり、資料の貸出が行われています。また、公共図書館から団体貸出をしてもらっている刑務所や少年院などもあります。

墨田区立図書館　老人介護施設へ毎月訪問して行っている紙芝居

国際交流基金関西国際センター図書館の事例紹介

「展示」

　関西国際センターは、外交官、公務員、文化・学術専門家（研究者、大学院生、学芸員、司書）など、仕事や研究で日本語能力を必要としている海外の人々や、海外の大学や高校で日本語を学んでいる人々などに対して、日本語教育を行っている機関です。研修中には、日本の社会・文化の理解を深めるために、日本の文化体験や学校訪問、講義などの「社会文化プログラム」も行っています。そのため、関西国際センター図書館では、研修のプログラムに合わせて関連する資料の展示をしたり、日本の社会・文化を紹介する資料の展示をしたりしています。

①研修のプログラムに合わせて行われる展示

　「社会文化プログラム」（文化体験・鑑賞、学校訪問、研修旅行、日本の社会・文化を理解するための講義など）に関する資料の展示

文化体験・鑑賞

「文楽」

学校訪問

「日本の学校」

研修旅行

「東京」

講義

「日本の政治と外交史」

「日本経済」「日本国憲法」

「日本の政治と外交史」「日本経済」「日本国憲法」などの資料の展示は、外交官・公務員研修で行われる講義の時期に合わせて、行っています。

②日本の社会・文化を紹介する資料の展示

「日本の地理と気候」

「日本文学」

「日本のファッション」

このほかに、季節ごとに日本の年中行事を紹介する資料の展示なども行っています。

「お正月」

「節分」

「ひな祭り」

「子どもの日」

LIBRARY SERVICES AND COPYRIGHT

図書館サービスと著作権

1 図書館資料と著作権 ·························· Library Materials and Copyright

　図書館の資料の多くは、著作者 (author) が自分の考えや感情などを表現してつくったもの（著作物）です。ですから、図書館では著作者が持っている権利「著作権」(copyright) に注意して、サービスを提供しています。

2 著作権とは ·· What is copyright?

　著作者が持つ権利「著作権」には、著作権（著作財産権）と著作者人格権があります。

（1）著作権（著作財産権） property right of copyright holders

　著作権（著作財産権）には、a～kのようなさまざまな権利があります。著作物を利用する権利はまずそれをつくった著作者が持っているので、著作者以外の人が著作物を利用するときは、著作者に許可をとらなければなりません。

（a）複製権：印刷、コピー、録音、録画などによって、著作物を複製（コピー）する権利
（b）上演権・演奏権：演劇や音楽の演奏など、広く人々に見せたり聞かせたりする権利
（c）上映権：映画、ビデオ、DVD を上映する権利
（d）公衆送信権など：テレビやラジオ番組の放送、有線放送、ファクシミリによる送信、インターネットで情報を配信したり、配信前にサーバーに情報をおいたりする権利
（e）口述権：詩や小説の朗読会など、人々がいるところで著作物を読んで聞かせる権利
（f）展示権：画家、写真家や絵や写真などの作品を持っている人が、人々のいるところで作品を展示する権利
（g）頒布権：映画フィルム・映画のビデオソフトなどを売ったり、貸したりする権利
（h）譲渡権：書籍や音楽 CD など、映画以外の著作物を売る権利
（i）貸与権：書籍、雑誌、新聞、音楽 CD など、映画以外の著作物を貸す権利
（j）翻訳権、翻案権など：翻訳、編曲、映画化などして、著作物をもとに別の著作物をつくる権利
（k）二次的著作物の利用に関する原著作者の権利：(j) のように、翻訳・編曲・映画化などによって新しくつくられた著作物が利用されるときに、元の著作物をつくった著作者が持つ権利

（2）著作者人格権　author's moral right

著作者人格権は、自分の考えや感情を表現して著作物をつくった著作者の人格を守るために、著作者だけに与えられている権利です。そのため、この権利はほかの人に譲ることはできません。

（a）公表権：著作物を公表するかしないか決める権利

（b）氏名表示権：著作物を公表する場合に、名前を出すか出さないか、またどのような名前で公表するか決める権利

（c）同一性保持権：著作物の内容やタイトルを勝手に変えられない権利

❸ 著作権法による保護 ⋯⋯⋯⋯⋯⋯⋯⋯⋯⋯⋯ Protection by Copyright Law

日本では 1899 年（明治 32 年）に著作権法 (copyright law) ができ、著作権者 (copyright holder) の権利を守る国際条約「ベルヌ条約」にも加盟しました。ですから、ふつうの著作物は手続きをしなくても、またコピーライトマーク「©」がついていなくても、つくられたときから著作権法で守られることになっています。日本の著作権法では、ふつう著作者の死後 70 年間は著作者の権利が守られることになっています。このため、著作権者の許可なしに、著作物を貸してお金をとったり、コピーをつくって売ったりすることはできません。

でも、著作権者の権利が強くなりすぎると、人々が公正に利用できなくなることも考えられるので、著作権法では著作権者の権利を守りながらも、著作物の自由な利用を部分的に認めてきました。たとえば、図書館の資料が古くなって汚れたり壊れたりしたときに図書館で複製（コピー、録音、録画、写真、マイクロ化、電子化など）することや、目に障害があるなどして図書館が利用しにくい人のために点字資料や拡大図書をつくることなどです。

Notes

ふつう著作物は著作者の死後 70 年間、著作権法で守られています。なお、映画の場合も、映画が公表されてから 70 年間、著作権法で守られることになっています。

「著作者」と「著作権者」 "author" and "copyright holder"

　著作者とは、自分の考えや感情を表して、たとえば小説やマンガ、歌や音楽などのような作品（著作物）をつくった人のことです。つくったもの（著作物）が、ほかの人に勝手にコピーされたりすると、著作者にとっては何の利益にもなりません。ですから、そのようなことがないように、作品（著作物）ができると、著作者は「著作権（著作財産権）」を持ち、その権利が守られるようになっています。

　「著作権（著作財産権）」を持っている人のことを「著作権者」と言います。ですから、作品（著作物）ができたときは、著作者が「著作権者」です。ただ「著作権（著作財産権）」は、著作者の死後 70 年までは続くので、多くの場合、著作者の家族などがその権利をもらい受けることになっています。

　また、著作者が「著作権（著作財産権）」をほかの人や会社などにあげたり売ったりする（＝「譲渡する」）場合もあります。たとえば、A 会社が B 会社のホームページをつくる場合、ホームページが完成したときは、それをつくった A 会社が「著作者」です。でも、仕事を頼まれたときに、「ホームページができたら、そのあと著作権（著作財産権）は B 会社が持つ（＝ B 会社に譲渡する）」と決めていたら、「著作権（著作財産権）」は B 会社がもらい受けることになります。

　このように「著作権（著作財産権）」は、著作者からほかに移ることがあります。そして、著作者ではないけれども、「著作権」を持っている人や会社などについても「著作権者」と呼んでいます。

Notes

　著作者には「著作権（著作財産権）」と「著作者人格権」の二つの権利がありますが、ほかの人に譲ることができるのは、「著作権（著作財産権）」だけです。ですから、著作者になったからといって、作品の内容を変えるようなことはできません。

8 章
図書館
サービスと
著作権

④ 図書館サービスと関係のある著作権法 ···· Copyright Law related to Library Services

（1）閲覧サービス　in-library service

　図書や雑誌のような印刷された資料を図書館で見たり、音楽や落語などのテープやCD（音声資料）を聞いたりする場合、著作権者の許可をとる必要はありません。

（2）貸出サービス　lending service

①映像資料（動画）以外の資料の貸出
lending materials other than image materials (motion pictures)

　図書、雑誌、音声資料など、動画が入っていない資料を、非営利無料で（＝利益を得ることを目的としないで無料で）貸し出す場合、著作権者の許可をとる必要はありません。

②映像資料（動画）の貸出　lending image materials (motion pictures)
　映像資料（動画）を貸し出す場合、著作権者の許可が必要な場合と、許可がいらない場合があります。公共図書館や視聴覚教育施設（公共の視聴覚ライブラリーや視聴覚センターなど）では著作権者の許可をとらなくてもいいことになっていますが、そのほかの図書館や施設では許可をとらなければいけません。また、許可をとらなくてもいい図書館でも、貸出サービスを行う予定の場合、映像資料を購入するときに、補償金（compensation）を払わなければなりません。

（3）複写（コピー）サービス　photoduplication service

　図書館は著作権者の許可なしに複写（コピー）サービスを行うことができますが、そのときは次のような条件があります。

（a）複写の目的は、調査（調べ物）や研究のためである。
（b）複写できるのは、資料の一部分（一つの作品、一つの論文の約半分）までである。
（c）一人に一部だけ提供する。
（d）新聞や雑誌などの定期刊行物の最新号は、一つの記事の一部分（約半分）までしか複写できない。
（e）図書館は利用者から複写に必要な料金だけを受け取る。

このような条件が守られているか図書館職員（司書）がいて、チェックすることも求められて

います。

　ただ、著作権者の許可をとったものや、著作権が切れたものは、（a）～（e）の条件を気にせず、自由にコピーすることができます。

（4）上映会など　　showing videos and films, etc.

　図書館では DVD、ビデオなどを使って、上映会や演奏会を行うことがありますが、非営利無料で（＝利益を得ることを目的としないで無料で）行うなら、著作権者の許可をとる必要はありません。

　たとえば、子どものための上映会でアニメーションを見せる場合、無料で行うなら、著作権者の許可は必要ありません。ただ、映画館やレンタルショップなどへの影響を考えることも求められています。

Point

　　日本図書館協会と日本映像ソフト協会は、2001 年（平成 13 年）に次のような取り決めをつくりました。
　　図書館で上映会をする場合、
　1. 上映権つきのものを購入して上映する。
　2. 上映権つきのものではない場合、教育的・文化的な内容のものを上映する。
　3. 上映権つきのものでなく、教育的・文化的な内容のものでもない場合、DVD やビデオの販売元に上映してもいいか問い合わせる。

📚 映像資料（動画）の図書館での閲覧
In-library use of image materials（motion pictures）

　図書館には AV ブースがあって、ここで利用者は DVD やビデオなどの映像資料（動画）を見ることができます。この場合も利用者からお金をとっていないので、著作権者の許可をとる必要はありません。

関西国際センター図書館

（5）障害者サービス　　services for disabled people

①資料の作成　　preparing materials
　　国立国会図書館、公共・大学・学校図書館、視聴覚障害者のための施設などでは、視覚障害者、聴覚障害者、肢体障害者、発達障害や知的障害のある人など、一般的な図書館資料の利用が難しい人々のために、資料の形を変えて提供してもいいことになっています。

ただ、そのような形につくられ、すでに売られているものがある場合、著作権者の許可なしに図書館などでつくることはできない、とガイドラインには書かれています。

ガイドラインとは

2010年（平成 22 年）2月につくられたガイドラインで、「図書館の障害者サービスにおける著作権法第 37 条第 3 項に基づく著作物の複製等に関するガイドライン」と言います。
http://www.jla.or.jp/portals/0/html/20100218.html

②資料の貸出　lending materials

障害者サービス用の資料は、貸出もできます。ただ、字幕や手話、音声解説などがある映像資料（動画）の貸出は、ふつうの映像資料（動画）と同じように、著作権者の許可をとらなければならないことになっています。

③データ配信サービス　distributing data

図書館や視聴覚教育施設（公共の視聴覚ライブラリーや視聴覚センターなど）では、点字図書や録音図書を郵送で貸し出すサービスを行ってきました。また近年では、データ配信サービスも行っています。データ配信サービスは、データの種類によって、サービスが行えるところと行えないところがあるのですが、インターネットを通じてすぐに利用者に情報を届けられるので、便利なサービスです。

★点字データの配信サービス　distributing braille data

点字データの配信サービスをするには、著作権者の許可は必要ありません。ですから、だれでも、どんな図書館や機関でもこのサービスを行うことができます。
利用者は利用しやすい形のもの（紙に印刷して利用する、点字ディスプレイを利用する、点訳ソフトで音読させる）を

音声パソコンと
点字ディスプレイ

選んで読めるだけでなく、データそのものを自分のパソコンにダウンロードすることもできます。

★ DAISY データなどの配信サービス　distributing DAISY data, etc.

　視覚障害者のための施設や、政令で認められた公共図書館などでは、著作権者の許可なしに、DAISY データなどをインターネットで配信するサービスを行うことができます。また、利用者は利用しやすい形（点字、音声のみ、音声と映像と文字）のものを選んで読めるだけでなく、データそのものを自分のパソコンにダウンロードすることもできます。

★リアルタイムで放送される映像資料（字幕・手話つき）の送信サービス
sending image materials broadcast live（with captions and sign language）

　聴覚障害者のために情報を提供する施設では、著作権者の許可なしに、リアルタイムで放送されている地域の情報番組やニュースなどに字幕や手話をつけて、耳の不自由な人々に情報を届けることが認められています。

（6）図書館の資料保存のための複製
duplication of library materials for their preservation

　図書館の資料が古くなって汚れたり壊れたりしたとき、図書館は著作権者の許可なしに複製（コピー、録音、録画、写真、マイクロ化、電子化など）をしてもいいことになっています。
　というのは、図書館にはサービスの提供とともに、図書館資料の保存という大切な役割があるからです。ただ、「保存のスペースがない」「多くの人が同時に利用できるようにしたい」などの理由で、まだ壊れたりしていない資料を複製することはできないことになっています。

 国立国会図書館の資料保存のための複製（電子化）
Duplication（digitization）of the National Diet Library's materials

　国立国会図書館には、日本国内で出版されたすべての資料を収集し保存するという役割があるため、ほかの図書館と同じように、古くなって汚れたり壊れたりした資料については、複製（電子化）をして保存をしてきました。ただ、資料をよりよい状態で保存するためには、資料が利用される前に複製（電子化）し、オリジナル資料は大切に残しておく必要があると考えられるようになりました。そこで、著作権法が変わった 2010 年（平成 22 年）から、国立国会図書館だけは資料の受け入れ後すぐ、つまり、資料が汚れたり壊れたりしていない状態で著作権者の許可なしに複製（電子化）してもいいことになりました。

9章

CATALOG

目録

1 目録とは……What is catalog?

図書館では、受け入れた資料がどんな資料で、図書館のどこにあるかがわかるように、タイトル、著者名、出版者、分類記号などの情報を記録しています。このような情報を集めたものを「目録」と言います。

2 目録の種類……Types of Catalogs

図書館ではこれまで以下のような３つの形の目録を使ってきました。

- 冊子目録（book catalog）
- カード目録（card catalog）
- コンピュータ目録（computer catalog）

現在は、多くの図書館でコンピュータ目録が使われています。自宅のパソコンなど図書館の外からインターネットを通じて、図書館資料の検索ができるようになりました。ですからカード目録はもう使わず、コンピュータ目録だけを使っている図書館や、コンピュータ目録と冊子目録（book catalog）の両方を使っている図書館も多いです。また、古い資料や外国語の資料などだけ、カード目録を使っている図書館もあります。

3 目録の歴史……History of Cataloging System

目録は、本の形をした冊子目録（book catalog）が広く使われてきましたが、資料が増えたり減ったりしたときに、すぐに書きかえられないことが問題でした。

そこで、19世紀の終わりごろからカード目録（card catalog）が使われるようになりました。ただ、カード目録も、カードをつくるのに時間がかかることや、カードをおくためのスペースが必要なこと、たくさんのカードから資料を探すのが大変なことなど、問題がいろいろありました。

その後、冊子目録やカード目録のデータをつくるためにコンピュータが使われるようになり、

日本では 1970 年代になってから、コンピュータ目録（computer catalog）が少しずつ使われるようになりました。

冊子目録

カード目録

コンピュータ目録
東京都立図書館 OPAC

4 日本の目録規則 ································ Cataloging Rules Used by Japanese Libraries

　現在、日本で一般的に使われている目録規則は、『日本目録規則　2018 年版』（日本図書館協会　2019）です。

　もともと、日本には和書や漢書の目録をつくるための目録規則（「和漢図書目録編纂規則」1893 年制定）がありましたが、洋書が増えたため、和書・漢書と洋書の目録づくりのための目録規則『日本目録規則』（NCR: Nippon Cataloging Rules）が 1942 年につくられました。その後、目録についての国際的な共通ルール（「パリ原則」、「国際標準書誌記述」[International-al Standard Bibliographic Description：ISBD]）ができ、日本の目録規則もこのルールに合わせて新しく改訂されることになりました。また、図書館資料の変化とともに少しずつ改訂が行われ、現在の目録規則（『日本目録規則 2018 年版』）に至っています。

★日本の目録規則の改訂　revisions of cataloging rules adopted in Japan

1893 年　『和漢図書目録編纂規則』

1942 年　『日本目録規則』

1952 年　『日本目録規則 1952 年版』

1965 年　『日本目録規則 1965 年版』

1977 年　『日本目録規則新版予備版』

＊この年から、日本では基本カードをコピーし、それらに
　必要な標目をつけて目録カードをつくる「記述ユニット
　カード方式」が使われるようになりました。

1987 年　『日本目録規則 1987 年版』

1994 年　『日本目録規則 1987 年版 改訂版』

2001 年　『日本目録規則 1987 年版 改訂 2 版』

2006 年　『日本目録規則 1987 年版 改訂 3 版』

2018 年　『日本目録規則 2018 年版』

5 カード目録 ………………………………………………………………… Card Catalog

（1）カード目録の構成　Card catalog format

日本で広く使われてきたカード目録は、以下の 4 点でできています。

（a）標目（heading）

　　：カードを探すときの見出し（heading）になる情報です。カード目録では、「タイトル
　　（書名 title）」「著者（author）」「分類記号（classification code）」「件名（subject）」
　　が標目になります。

「著者目録のカード」　　　（a）　　　　　　　　　　　　　　　　　（b）

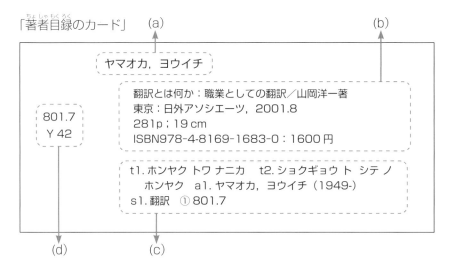

ヤマオカ，ヨウイチ

翻訳とは何か：職業としての翻訳／山岡洋一著
東京：日外アソシエーツ，2001.8
281p；19 cm
ISBN978-4-8169-1683-0：1600 円

801.7
Y 42

t1. ホンヤク トワ ナニカ　　t2. ショクギョウト シテノ
　　ホンヤク　a1. ヤマオカ，ヨウイチ（1949-）
s1. 翻訳　①801.7

（d）　　　　　（c）

(b) 記述（description）
　　：見たい資料と同じものか違うものなのかを確認するための情報で、ここにタイトル・著者名・出版者・出版年などが書かれます。

(c) 標目指示（tracing）
　　：カードをつくるときに標目（heading）にした情報を全部まとめたものです。

(d) 所在記号（location symbol）
　　：その資料が図書館のどこにあるか示す情報で、分類記号などが書かれることが多いです。

目録をつくるための情報源　information sources for creating catalogs

標題紙

タイトル（書名 title）

副書名（subtitle）

著者（author）

出版者（publisher）

翻訳とは何か・職業としての翻訳

山岡洋一

奥付

翻訳とは何か ── 職業としての翻訳

2001年8月27日　第1刷発行　　出版年

著者／山岡洋一
発行者／大高利夫
発行／日外アソシエーツ株式会社　　出版者

〒143-8550 東京都大田区大森北1-23-8 第3下川ビル
　電話(03)3763-5241(代表)　FAX(03)3764-0845
　URL　http://www.nichigai.co.jp/

組版処理／日外アソシエーツ株式会社
印刷・製本／株式会社平河工業社

©Yoichi YAMAOKA 2001
不許複製・禁無断転載
(落丁・乱丁本はお取り替えいたします)

ISBN978-4-8169-1683-0　Printed in Japan, 2001

ISBN（国際標準図書番号）

背表紙

表紙

翻訳とは何か・職業としての翻訳

山岡洋一

（2）カード目録の作成　creating card catalogs

　カードをつくるには、まず「(b) 記述」「(c) 標目指示」「(d) 所在記号」など、資料の基本的なデータを書いた基本カード（＝「記述ユニットカード」）をつくります。

(a) 標目　　　　　　　　　　　　　　　　　(b) 記述

ヤマオカ，ヨウイチ

翻訳とは何か：職業としての翻訳／山岡洋一著
東京：日外アソシエーツ，2001.8
281p；19 cm
ISBN978-4-8169-1683-0：1600円

801.7
Y 42

t1. ホンヤク トワ ナニカ　t2. ショクギョウト シテノ
　　ホンヤク　a1. ヤマオカ，ヨウイチ（1949-）
s1. 翻訳　① 801.7

(d) 所在記号　　(c) 標目指示

基本カード

　その基本カードをコピーして増やし、「タイトル（書名）」「著者」「件名」「分類記号」などの標目をつけます。それから、それぞれのカードボックスに 50 音順やアルファベット順、分類記号順に入れて、並べます。

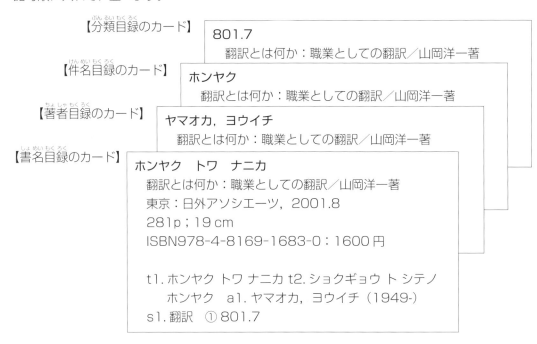

【分類目録のカード】
801.7
　翻訳とは何か：職業としての翻訳／山岡洋一著

【件名目録のカード】
ホンヤク
　翻訳とは何か：職業としての翻訳／山岡洋一著

【著者目録のカード】
ヤマオカ，ヨウイチ
　翻訳とは何か：職業としての翻訳／山岡洋一著

【書名目録のカード】
ホンヤク　トワ　ナニカ
　翻訳とは何か：職業としての翻訳／山岡洋一著
　東京：日外アソシエーツ，2001.8
　281p；19 cm
　ISBN978-4-8169-1683-0：1600円

　t1. ホンヤク トワ ナニカ t2. ショクギョウト シテノ
　　　ホンヤク　a1. ヤマオカ，ヨウイチ（1949-）
　s1. 翻訳　① 801.7

① 「(b) 記述」の書き方　－区切り記号について－
how to write "（b）description" -use of punctuation marks-

　日本の目録規則では1987年(昭和62年)から「ISBD区切り記号法」が使われています。これによって、目録の「(b) 記述」に書く「タイトル（書名）」、「著者」、「出版者」など、その資料についての一つ一つ情報がわかりやすくなります。また「ISBD区切り記号法」では、どんな情報をどんな順番で書くのか、それぞれの記号の後にどんな情報を書くのかが決められています。ですから、記号の使い方を一度覚えてしまうと、詳しく知らない外国語の資料の目録でも、どこに何が書かれているかがわかるので、目録づくりがスムーズにできるようになります。

区切り記号

.␣	,␣	:␣	␣;␣	/	␣=␣	␣+␣	×
ピリオド	コンマ	コロン	セミコロン	斜線	等号	プラス	乗号

␣[ ]␣	␣( )␣	「 」	-	・	?
角がっこ	丸がっこ	かぎかっこ	ハイフン	中点	疑問符

スペースのとり方（ここではスペースを␣で示します）にもルールがあります。

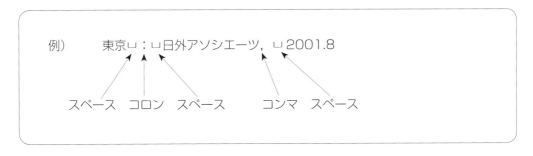

例）　東京␣:␣日外アソシエーツ,␣2001.8

スペース　コロン　スペース　　コンマ　スペース

詳しいルールの説明は、『日本目録規則 1987年版 改訂3版』にあります。（☞P137「書名目録の見方」）

② 「(a) 標目」と「(c) 標目指示」の書き方
how to write "（a）heading" and "（c）tracing"

　『日本目録規則 1987年版 改訂3版』によれば、日本語資料の目録の「標目」のタイトル（書名, title）、著者（author）、件名（subject）にはカタカナを使うことになっています。

【分類目録のカード】   ヤマオカ，ヨウイチ

【書名目録のカード】   ホンヤク　トワ　ナニカ

    翻訳とは何か：職業としての翻訳／山岡洋一著

    東京：日外アソシエーツ，2001.8

★タイトル（書名 title）

▶ 助詞「は」「へ」「を」は、「ハ」「ヘ」「ヲ」ではなく、発音どおりに「ワ」「エ」「オ」と書きます。

▶ タイトルは、言葉と言葉の間にスペースをとって書く（分かち書きする）ことになっています。『目録編成規則』に詳しい説明があります。

> （例）　翻訳とは何か　→　ホンヤク トワ ナニカ

★著者（author）など

▶ 姓と名の間にコンマ「，」を入れます。

▶ 同じ名前の人がいる場合、生まれた年などを書いて、違いがわかるようにします。

> （例）　山岡洋一　→　ヤマオカ，ヨウイチ（1949 - ）

「標目指示」を書くときも、タイトル、著者（author）はカタカナを使います。件名は件名の種類によってカタカナを使ったり、漢字を使ったりします。

タイトル標目、著者標目、件名標目を書くとき、「title」「author」「subject」の最初の文字「t」「a」「s」に番号をつけて書きます。分類記号は、番号に○をつけて書きます。

> （例）　t1. ホンヤク トワ ナニカ
>
>   a1. ヤマオカ，ヨウイチ（1949 - ）
>
>   s1. 翻訳　① 801.7

※詳しいルールの説明は、『日本目録規則 1987 年版改訂 3 版』にあります。

書名目録の見方 how to read title cards

> ホンヤク　トワ　ナニカ
> 　翻訳とは何か ⊔ : ⊔ 職業としての翻訳 ⊔ / ⊔ 山岡洋一著
> 東京 ⊔ : ⊔ 日外アソシエーツ , ⊔ 2001.8
> 281p ⊔ ; ⊔ 19cm
> ISBN978-4-8169-1683-0 ⊔ : ⊔ 1600円
>
> 　t1. ホンヤク トワ ナニカ t2. ショクギョウ ト シテノ
> 　　　ホンヤク　a1. ヤマオカ, ヨウイチ（1949 - ）
> 　s1. 翻訳　①801.7

【書名目録のカード】

「書名」スペース　コロン　スペース「サブタイトル」スペース　斜線　スペース「著者」

「出版地」スペース　コロン　スペース「出版者」コンマ　スペース「出版年月」

「ページ数」スペース　セミコロン　スペース「大きさ」

ISBN 978-4-8169-1683-0 ⊔ : ⊔ 1600円

「国際標準図書番号（ISBN）」スペース　コロン　スペース「価格」
(International Standard Book Number)

⑥ コンピュータ目録 ·································Computer Catalog

　コンピュータ目録とは、コンピュータを使って利用する目録のことです。コンピュータ目録には CD-ROM や DVD-ROM を使う「オンディスク目録」と、コンピュータ・システムにオンラインでつながっている「オンライン目録」があります。

　コンピュータ目録を使う場合、国立国会図書館の「JAPAN/MARC」（機械可読目録）が入った「J-BISC」を購入して、目録データをコンピュータに取り込んだり、国立情報学研究所 (NII) がサポートしている「目録所在情報サービス」(NACSIS-CAT) に参加して、総合目録データベースの書誌データや MARC をコピーして利用したりすることができます。資料の目録データが JAPAN/MARC のデータや NACSIS-CAT の総合目録データベースにない場合は、その図書館でデータをつくらなければなりませんが、すでにある場合はダウンロードして利用できるので、目録づくりにかける時間を短くすることができます。公共図書館などでは取次会社の MARC を使って、目録をつくることが多いです。

「J-BISC」（CD-ROM）からダウンロードした目録データ

```
001  20195872
005200111119094100.0
010  $A  4-8169-1683-0
020  $A  JP $B 20195872
100  $A  20011119 2001        0JPN 1312
101  $A  JPN
102  $A  JP
251  $A  翻訳とは何か  $B 職業としての翻訳  $F 山岡洋一‖著
270  $A  東京  $B 日外アソシエーツ  $D  2001.8
275  $A  281p $B 19 cm
360  $C  1600 円
551  $A  ホンヤク  トワ  ナニカ  $X  Hon’yaku towa nanika $B  251A1
$A  ショクギョウ  ト  シテノ  ホンヤク
$X  Shokugyou to shiteno hon’yaku  $B 251B1
658  $A  ホンヤク  $X Hon’yaku  $B 翻訳  $3  00563405
677  $A  801.7  $V  9
685  $A  KE26
751  $A  ヤマオカ , ヨウイチ (1949-) $X Yamaoka, Youiti(1949-)
$B 山岡‖洋一 (1949-) $3 00180081
801  $A  JP  $B National Diet Library, JAPAN $C 20070226  $G NCRT
$2  jpnmarc
905  $A  KE26-G53
```

NACSIS-CAT の総合目録データベースにある書誌データ

YEAR	2001					
CNTR	ja ▼	TTLL	jpn ▼	TXTL	jpn ▼	
VOL		ISBN	4816916830			
TR	翻訳とは何か：職業としての翻訳 / 山岡洋一著 ‖ ホンヤク トワ ナニカ：ショクギョウ トシテ ノ ホンヤク					
PUB	東京：日外アソシエーツ , 2001.8					
PHYS	281p ; 19cm					
VT	翻訳とは何か：職業としての翻訳 ‖ ホンヤクトワナニカ：ショクギョウトシテノホンヤク					
AL	山岡 , 洋一 (1949-) ‖ ヤマオカ , ヨウイチ <DA02574350>					
CLS	NDC8: 801.7					
CLS	NDC9: 801.7					
CLS	NDLC: KE26					
SH	BSH: 翻訳 ‖ ホンヤク					

 ## NACSIS-CAT での目録規則　Cataloging Rules for NACSIS-CAT

9章

目録

　「目録所在情報サービス」（NACSIS-CAT）の総合目録データベースのデータをつくるとき、日本語資料については『日本目録規則 1987 年版 改訂 3 版』（NCR）、洋書については『英米目録規則第 2 版 1988 年改訂版』（AACR2）が使われています。

　また、一つのフィールドに二つ以上の内容のデータがあるときは、『日本目録規則 1987 年版 改訂 3 版』（NCR）にも使われている「国際標準書誌記述」（ISBD）の「区切り記号」が使われています。

（例）TR	翻訳とは何か␣：␣職業としての翻訳␣/␣山岡洋一著 ‖ ホンヤク トワ ナニカ：ショクギョウ トシテ　ノ　ホンヤク
PHYS	281p␣;␣19cm

また、NACSIS-CATの図書についての書誌データには、次のような項目があって、それぞれ略語が使われています。

刊年	：YEAR	（Year of Publication）
出版国コード	：CNTRY	（Country Code）
タイトルの言語コード	：TTLL	（Title Language Code）
本文の言語コード	：TXTL	（Text Language Code）
原本の言語コード	：ORGL	（Original Language Code）
巻	：VOL	（Volume）
国際標準図書番号	：ISBN	（International Standard Book Number）
タイトルと責任表示に関すること	：TR	（Title and Statement of Responsibility Area）
版に関すること	：ED	（Edition Area）
出版・頒布などに関すること	：PUB	（Publication, Distribution, etc.,Area）
形態に関すること	：PHYS	（Physical Description Area）
その他のタイトル	：VT	（Variant Titles）
著者名リンク	：AL	（Author Link）
分類（番号）	：CLS	（Classification）
件名（標目）	：SH	（Subject Headings）

　資料が出版された国や、資料のタイトル・本文などに使われている言語についても、次のような略語が使われています。

▶ 出版社コード

日本 　　　　　　： 　ja

（アメリカ合衆国： 　us 　英国： uk 　フランス： fr ）

▶ 言語コード

日本語 　　　　：　jpn

（英語 　　　　：　eng 　　　　　　　フランス語： fre ）

（1）典拠ファイル　authority file

　利用者が資料を探すとき、著者名やタイトルから検索することが多いですが、「夏目漱石」「夏目金之助」のように著者が二つの名前（ペンネームと本名）を持っていたり、「アラビアン・ナイト」「千夜一夜物語」のように同じ話に何通りもの名前がついているとき、どんなキーワードを使って検索しても資料を探せるようにしておく必要があります。そこで、目録をつくる人は、利用者が検索するときに使うかもしれない語を広く取り上げたり、目録をつくるときに参考にした資料を記録したりしておきます。このような記録を集めたものを「典拠ファイル（authority file）」と言います。

　カード目録を使っていたときは、書名目録カードや著者名目録カードとは別に、典拠ファイルのカードをつくっていました。ですから典拠ファイルを確認しなかったために資料を手にすることができないという可能性もありましたが、オンライン目録を使うようになってからは、書誌データと典拠ファイルがリンクづけされているので、このようなことはなくなりました。

夏目漱石『吾輩は猫である』のデータ　（NACSIS-CAT より一部抜粋）

YEAR	1998				
CNTRY	ja ▼	TTLL	jpn ▼	TXTL	jpn ▼
VOL		ISBN	4041001013		
TR	吾輩は猫である / 夏目漱石著 ‖ ワガハイ ワ ネコ デアル				
ED	改版				
PUB	東京 : 角川書店 , 1998.5				
PHYS	578p ; 15cm				
NOTE	年譜 : p568-576				
PTBL	角川文庫 ‖ カドカワ ブンコ <BN0007882>109//a				
AL	夏目, 漱石 (1867-1916) ‖ ナツメ, ソウセキ <DA00151899>				
CLS	NDC8:913.6				
SH					

> ここをクリックすると、「夏目漱石」の典拠レコード（☞ P142）が見られます。

「夏目漱石」の典拠レコード（NACSIS-CAT から一部抜粋）

ID	DA00151899 ◀
HDNG	夏目, 漱石 (1867-1916) ‖ ナツメ, ソウセキ ◀
PLACE	牛込（東京） ◀
DATE	1867-1916 ◀
SF	夏目, 金之助 ‖ ナツメ, キンノスケ
SF	＊Natsume, Sôseki, 1867-1916
SF	Natsume, Sôseki
SF	Natsume, Kinnosuke, 1867-1916
SF	Нацумэ, Соэзки
SF	Nacume, Szószeki
NOTE	文化人名録による。
NOTE	EDSRC：夏目漱石；寺田寅彦；鈴木三重吉；内田百閒（筑摩書房，1968）
NOTE	夏目漱石集（河出書房新社，1965.8）
NOTE	切抜帖より / 夏目漱石著（春陽堂，1926.1）
NOTE	EDSRC: Санширо / Нацумэсосэки (Удсын Хэвлэлийн Газар, 1990)
NOTE	EDSRC: A K ölyök / Nacume Szószeki ; [fordítta, Vihar Judit](Balassi Kiaó, c2003)

著者名典拠レコード ID

HDNG：統一標目形
(Uniform Heading)

PLACE：生まれた場所

DATE：生まれた年ー亡くなった年

SF：「see from ～」の略で、「～を見よ」という意味です。検索するときに、利用者が使いそうな語を取り上げて、利用者が資料にアクセスできる可能性を広げます。

キリル文字で「夏目漱石」と書かれている。

ハンガリー語で「夏目漱石」と書かれている。

NOTE：注記
著者名目録をつくるときに、その著者名がどの資料で使われているかを書いておきます。

『坊ちゃん』 / 夏目漱石 ： 翻訳者 Vihar Judit（出版者，出版年）[ハンガリー語]

『三四郎』 / 夏目漱石（出版者，出版年）[モンゴル語]

「目録所在情報サービス」(NACSIS-CAT) の利用

use of catalog location information service " NACSIS-CAT "

「目録所在情報サービス」(NACSIS-CAT) に参加していない図書館の場合、NACSIS-CAT のデータをダウンロードして目録をつくることはできませんが、データを見て、目録づくりの参考にすることはできます。

Details

NCID:
　BA53155337
ISBN:
　4816916830
Country Code:
　ja
Title Language Code:
　jpn
Text Language Code:
　jpn
Place of publication:
　東京
Pages/Volumes:
　281p
Size:
　19cm
Classification:
　NDC8 : 801.7
　NDC9 : 801.7
　NDLC : KE26
Subject Headings:
　BSH : 翻訳

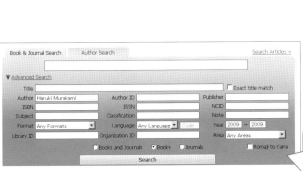

2009 年に出版された村上春樹の図書を探したいとき、「著者：Author」に「Haruki Murakami」、「出版年：Year」に「2009」と入力し、Books を選んで、Search をクリックします。

CiNii Books の詳細検索 Advanced Search

(2) OPAC（Online Public Access Catalog）

　日本でオンライン目録ははじめ、図書館員の業務のために使われていましたが、1980年代の中ごろから図書館内で利用者も使えるようになりました。利用者が使えるオンライン目録のことを、「OPAC（館内OPAC）」や「オンライン利用者用目録」と言います。

　1990年代になると、インターネットが広く使われるようになり、図書館の中だけでなく外からでも図書館資料の検索ができるようになりました。たとえば国立国会図書館では、2000年から少しずつインターネット上でOPACを公開するようになり、2002年からは「国立国会図書館蔵書検索・申込システム」（NDL-OPAC）サービスとして、図書、雑誌、博士論文などいろいろな資料の検索ができるようになりました。

 国立国会図書館　NDL-OPAC「書誌情報」より

資料種別	図書
請求記号	KE26-G53
タイトル	翻訳とは何か：職業としての翻訳
責任表示	山岡洋一著
出版事項	東京：日外アソシエーツ, 2001.8
形態／付属資料	281p；19cm.
ISBN	978-4-8169-1683-0：
価格等	1600円
全国書誌番号	20195872
個人著者標目	山岡, 洋一, 1949-2011‖ヤマオカ, ヨウイチ
普通件名	翻訳
NDLC	KE26
NDC(9)	801.7
本文の言語	jpn
国名コード	ja
書誌ID	000003017801

「国立国会図書館蔵書検索・申込システム」(NDL-OPAC)

"National Diet Library Online Public Access Catalog" (NDL-OPAC)

資料の目録をつくるとき、NDL-OPAC のデータを参考にすることができます。

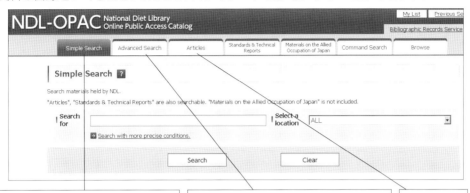

簡単な検索

　キーワードに関連する資料を広く検索することができます。

　たとえば、「村上春樹」と入れると、「村上春樹が書いた資料」だけでなく「村上春樹について書いた資料」もヒットします。

詳しい検索

　書誌情報の何から探すかを決めて、その情報を検索することができます。

　たとえば著者名から探す場合、著者名のところに「村上春樹」を入れると、「村上春樹が書いた資料」がヒットします。

雑誌の記事や論文の検索ができます。

たとえばISBNがわかっているときは、「詳細検索（Advanced Search)」から検索すると便利です。

ISBN の番号を入力して，Search をクリックします。

9 章

目録

Bibliographic Information	
Material Types	Monograph
Call No.	KE26-G53
Title	翻訳とは何か : 職業としての翻訳 /
Title-kana	ホンヤク トワ ナニカ : ショクギョウ ト シテノ ホンヤク
Responsibility	山岡洋一著 .
Publication etc.	東京 : 日外アソシエーツ ,2001.8
Physical Descript.	281p ; 19cm
ISBN	978-4-8169-1683-0
Price etc.	1600 円
National Bib. No.	20195872
Personal Name-Aut	山岡 , 洋一 (1949-) ‖ ヤマオカ , ヨウイチ
Topical Name -Sub	翻訳 ‖ ホンヤク
NDLC	KE26
NDC(9)	801.7
Text Language	jpn
Record ID No.	000003017801

COLUMN 5

国際交流基金関西国際センター図書館の事例紹介

「外国語資料の目録作成」

　関西国際センター図書館では、ユニコード（Unicode）対応の OS と図書館システム（LIME-DIO）を使っているので、外国語資料の目録をつくるとき、それぞれの資料の言語で入力できます。

　外国語資料の書誌データをつくるときは、まず、資料の標題紙や奥付などにある書誌情報を見ますが、ほかに参考にできるものがある場合はそれらも利用しています。

Notes

　ユニコード（Unicode）というのは、世界で使われているすべての文字を共通の文字コードで利用できるようにしようという考えで、つくられたものです。

外国語資料の目録作成の手順

外国語資料の書誌データが NACSIS-CAT（☞ P143「目録所在情報サービス」）に

あるとき NACSIS-CAT 上のデータをダウンロードする。

ないとき 1) NACSIS-CAT 上の MARC（機械可読目録）をダウンロードする。

2) NACSIS-CAT 上に MARC がなければ、WorldCat やほかの図書館の OPAC や書店のホームページ上の書誌情報を参考にする。

3) 1) と 2) ができない場合
標題紙や奥付の書誌情報を見て、自分で目録をつくる。

これらの情報を参考に、資料の標題紙や奥付などの情報を見ながら、目録をつくる。

WorldCat

　日本には、総合目録・所蔵目録データベース（NACSIS-CAT）を提供している国立情報学研究所（NII）という機関がありますが、アメリカにも同じように OCLC(Online Computer Library Center) という機関があります。この機関が提供している総合目録・所蔵目録データベースを WorldCat と言います。WorldCat には、アメリカやヨーロッパの国々だけでなく、世界中の図書館が参加しています。

Notes

　関西国際センター図書館は、国立情報学研究所（NII）がサポートしている「目録所在情報サービス」（NACSIS-CAT/ILL）に参加しているので、そのデータを利用することができます。
　英語、ドイツ語、中国語、韓国語で書かれた資料の目録をつくるときは、NACSIS-CAT 上にある、次のような MARC をよく利用しています。

USMARC	アメリカ議会図書館にある図書の書誌データ
UK MARC	大英図書館にある図書の書誌データ
Deutsche Nationalbibliograhie	ドイツ国立図書館にある図書の書誌データ
China MARC	北京図書館（中国国家図書館）にある図書の書誌データ
KORMARC	韓国国立中央図書館にある図書の書誌データ

10章

CLASSIFICATIONS

分類法
ぶんるいほう

1 いろいろな分類法 ··· Various Classifications

国によって、また図書館によって、いろいろな分類法（分類表）が使われています。

> 日本十進分類法（NDC）　　　　国立国会図書館分類表（NDLC）

> デューイ十進分類法（DDC）　　　アメリカ議会図書館分類法（LCC）
> 国際十進分類法（UDC）　　　　　中国図書館図書分類法（CLC）
> 韓国十進分類法（KDC）　　　　　ソ連書架・書誌分類法（BBK）

　日本では、『日本十進分類法』（NDC：Nippon Decimal Classification）がよく使われています。『日本十進分類法』（NDC）は、日本の多くの図書館で使えるよう、日本で出版された資料に合わせてつくられた分類法です。

　一方、専門図書館や国立国会図書館などの蔵書構成は、一般的な日本の図書館と違います。ですから、それぞれの図書館に合った分類法（分類表）を使っているところもあります。たとえば国立国会図書館では、国会での審議に必要な政治、行政、法律などの資料が多いので、そのような蔵書構成に合った「国立国会図書館分類表」（NDLC：National Diet Library Classification）を使っています。

2 日本十進分類法 ····························· Nippon Decimal Classification（NDC）

　『日本十進分類法』は、1929年、「間宮商店」という図書館用品店の店員だった森清によってつくられました。その後、改訂が繰り返され、現在は日本の多くの図書館で『日本十進分類法新訂10版』が使われています。

森清

日本十進分類法（NDC）の改訂	
1929年　第1版	1950年　新訂6版
1931年　訂正増補第2版	1961年　新訂7版
1935年　訂正増補第3版	1978年　新訂8版
1939年　訂正増補第4版	1995年　新訂9版
1942年　訂正増補第5版	2014年　新訂10版

日本十進分類法（NDC）の構成

Organization of NDC

　日本十進分類法は、デューイ十進分類法（DDC）とカッターの展開分類法（EC）を参考にしてつくられました。

　日本十進分類法では、デューイ十進分類法（DDC）と同じように、まず人類の知識全体を10のグループに分け、さらにそれぞれのグループを10ずつ分けていくという「十進分類法」が使われています。それぞれのグループの並べ方はカッターの展開分類法（EC）を参考にしており、「2 歴史」と「3 社会科学」、「8 言語」と「9 文学」など関係のあるグループを近くに並べています。

DDC（デューイ十進分類法）	EC（展開分類法）	NDC（日本十進分類法）
0　コンピュータサイエンス、情報および総記（Computer science, information & general works）	A　総記（General works）	0　総記（General works）
	B - D　哲学・宗教（Philosophy・Religion）	1　哲学（Philosophy）
1　哲学および心理学（Philosophy & psychology）		2　歴史（History）
	E - G　歴史諸科学（Historical sciences）	3　社会科学（Social Sciences）
2　宗教（Religion）	H - K　社会科学（Social sciences）	4　自然科学（Natural Sciences）
3　社会科学（Social sciences）	L-Q　自然科学（Natural sciences）	5　技術（Technology）
4　言語（Language）		6　産業（Industry）
5　科学（Science）	R - U　技術（Technology）	7　芸術（The arts）
6　技術（Technology）	V - W　芸術（The arts）	8　言語（Language）
7　芸術・レクリエーション（Arts & recreation）	X　言語（Language）	9　文学（Literature）
8　文学（Literature）	Y　文学（Literature）	
9　歴史および地理（History & geography）	Z　図書学（Book Arts）	
	※上記は、ECの主類を一部、省略したものです。	

10章

分類法

　また、哲学や宗教の図書があまり多くないという日本の出版状況に合わせ、「哲学」と「宗教」を一つのグループにまとめました。そして新しく「産業」（農業、林業、畜産業、水産業など）というグループをつくり、DDCに比べて日本の実状に合った構成になっています。

（1）分類記号のしくみ 1　classification notation 〈part 1〉

　日本十進分類法（NDC）では、まず知識全体を9つのグループに分け、1から9までの分類記号をつけます。そしてこの9つのグループのどこにも入らないものを「0（0 総記）」に入れています（⇒第1次区分）。次に各グループをまた9つに分け、1から9の分類記号をつけ、そのうちのどこにも入らないものを「0」に入れます。（⇒第2次区分）そして、このようなことをさらに繰り返します。

　たとえば、知識全体を9つに分けてできた「文学」は、「日本文学」「中国文学」、「英米文学」などの分野に分けられ、1から9までの分類記号がつけられます。そして0（90 文学）には、1（91 日本文学）から9（99 その他の諸文学）までのどの分野にも入らないものや、1（91 日本文学）から9（99 その他の諸文学）の全分野に関係するものが入ります。

　さらに「第2次区分」の一つの分野を9つに分けます（⇒第3次区分）。たとえば「日本文学」では、「詩歌」や「戯曲」「小説」などのそれぞれの分野に1から9までの分類記号がつけられ、0（910 日本文学）には1（911 詩歌）から9（919 漢詩文．日本漢文学）までのどの分野にも入らないものや、1（911 詩歌）から9（919 漢詩文．日本漢文学）の全分野に関係するものが入ります。

第1次区分	第2次区分	第3次区分
0　総記 (General works)	90　文学 (Literature)	910　日本文学 (Nipponese literature)
1　哲学 (Philosophy)	91　日本文学 (Nipponese literature)	911　詩歌 (Poetry)
2　歴史 (History)	92　中国文学	912　戯曲
3　社会科学 (Social Sciences)	93　英米文学	913　小説．物語
4　自然科学 (Natural Sciences)	94　ドイツ文学	914　評論．エッセイ．随筆
5　技術 (Technology)	95　フランス文学	915　日記．書簡．紀行
6　産業 (Industry)	96　スペイン文学	916　記録．手記．ルポルタージュ
7　芸術 (The arts)	97　イタリア文学	917　箴言．アフォリズム寸言
8　言語 (Language)	98　ロシア・ソヴィエト文学	918　作品集
9　文学 (Literature)	99　その他の諸文学	919　漢詩文．日本漢文学

日本を中心にした展開 Development of NDC in and around Japan

　日本十進分類法（NDC）は日本で出版された資料を分類するためにつくられた分類法です。日本で出版される資料ですから、当然のことながら、一番多いのは日本に関する出版物で、次に多いのは、アジアなど日本に近く、日本と関係の深い国や地域についての出版物になります。そのため、特に「第2，3次区分」の「20 歴史」「80 言語」「90 文学」「520 建築」「720 絵画」を見ると、地域としての日本、言語としての日本語など、日本を中心とした展開になっていることがわかります。また、「第3次区分」には「773 能楽．狂言」「774 歌舞伎」や「791 茶道」など、日本固有の文化に関する項目もあり、実状に合った構成になっていることがわかります。

　ですから、海外でも日本語資料を専門に扱う図書館や大学の日本語資料室などでは、日本十進分類法（ＮＤＣ）が使われている場合もあります。

歌舞伎

狂言
© Corpse Revive

能
© 松岡明芳

10章

分類法

（2）分類記号のしくみ 2　　classification notation ⟨part 2⟩

　分類記号は基本的に三つの記号で表されますが、その分野の中にさらにいろいろな固有の主題（テーマ）がある場合、また 1 から 9 つに分けられ、分類記号がつけられます。そうすると、分類記号が長くなるので、見やすくするために記号の 3 桁目と 4 桁目の間にピリオド（.）をつけることになっています。

第 3 次区分

910　日本文学 　　　（Nipponese literature）	911　詩歌（Poetry）
911　詩歌（Poetry）	911.02　詩歌史
912　戯曲	911.08　詩歌集
913　小説．物語	911.1　和歌．短歌
914　評論．エッセイ．随筆	911.101　理論．歌学．歌学史
915　日記．書簡．紀行	911.102　和歌史．歌人列伝・研究
916　記録．手記．ルポルタージュ	911.104　論文集．評論集．講演集．歌話．評釈．鑑賞
917　箴言．アフォリズム寸言	911.106　団体：学会，協会，会議．歌会
918　作品集	911.107　研究法．指導法．作歌法．作歌用書
919　漢詩文．日本漢文学	911.108　叢書．全集．選集
	911.2　連歌
	911.3　俳諧．俳句
	⋮

　たとえば、日本文学の「911 詩歌」には、「和歌．短歌」、「連歌」、「俳諧．俳句」などいろいろな種類の詩歌があるので、それぞれに 1、2、3 の分類記号がつけられます。そして 3 桁目にピリオドをつけるので、「911.1 和歌．短歌」、「911.2 連歌」「911.3 俳諧．俳句」という分類記号になります。そして、たとえば「和歌．短歌」の場合、「キュウヒャクジュウイチテンイチ」ではなく、「キュウ・イチ・イチ・テン・イチ」と読みます。

3 国立国会図書館分類表……National Diet Library Classification（NDLC）

　国立国会図書館では、以前、和書（日本語や中国語の図書）には日本十進分類法（NDC）を、洋書にはデューイ十進分類法（DDC）を使っていました。しかし、法律関係の洋書がデューイ十進分類法（DDC）と合わないなどの問題がありました。そこで、国立国会図書館の蔵書構成に合った分類表「国立国会図書館分類表」（NDLC、1967 年完成）がつくられることになりました。

（1）「国立国会図書館分類表」（NDLC）の構成　Organization of NDLC

　「国立国会図書館分類表」（NDLC）は、国立国会図書館の蔵書構成に合わせてつくられた分類表で、大きく「社会科学」「人文科学」「科学技術」「総記」などに分かれています。

　また、日本のほかの公共図書館とは違って、国立国会図書館には国会や行政・司法のためにサービスを行うという役割があるので、政治・法律・行政についての資料が多くあります。そのため、「政治・法律・行政」が分類表の一番はじめにおかれています。

「国立国会図書館分類表」［大要］　NDLC（outline）

A	政治・法律・行政　Politics. Law. Administration	
B	議会資料　Parliamentary publications	
C	法令資料　Legal materials	
D	経済・産業　Economics. Industries	社会科学
E	社会・労働　Social affairs. Labor	(Social Sciences)
F	教育　Education	
G	歴史・地理　History. Geography	
H	哲学・宗教　Philosophy. Religion	人文科学
K	芸術・言語・文学　The Arts. Language. Literature	(human cultural sciences)
M〜S	科学技術　Science and technology	科学技術
U	学術一般・ジャーナリズム・図書館・書誌 Learning in general. Journalism, Libraries. Bibliographies	総記 (General works)
V	特別コレクション　Special collections	
W	古書・貴重書　Old and rare books	
X	関西館配置資料	
Y	児童図書・簡易整理資料・教科書・専門資料室資料・特殊資料 Children's books. Special materials	
Z	逐次刊行物　Serial publications	

　　　　　：資料の主題によって分類されたもの

　　　　B, C, V, W, X, Y, Z：資料の主題によって分類されるのではなく、資料の書かれた形式や資料の種類によって分類され、書架に並べられているもの

（2）分類記号について　on classification notation

「国立国会図書館分類表」（NDLC）の分類記号は、アルファベット（1字または2字）と数字（1～999）からできています。それぞれの主題（テーマ）の分類項目は、基本的に「形式」「広い主題」「歴史・事情」「特定の主題」の観点からつくられていますが、それぞれ主題の必要に合わせて分類項目が立てられ、分類記号がつけられています。

　ですから、日本十進分類法（NDC）のように分類項目が10ずつ増えていくというような規則性や、広くいろいろな主題で使われる「形式区分」や「地理区分」などの補助表はありません。

（例）

KE　言語・文学一般　Language and literature in general

　　　　言語 Language

1	書誌 Bibliography
2	辞典・便覧類 Dictionaries. Handbooks
3	多国語辞典・多国語会話辞典類 Polyglot dictionaries
4	学術団体・研究機関 Organizations
5	合集 Collections
9	雑 Miscellaneous
11	言語と文学 Language and literature
12	言語・言語学 Language. Linguistics
13	一般言語学・言語哲学・言語美学 General linguistics. Philosophical and esthetic aspects of language
16	対照言語学 Contrastive linguistics
17	言語心理学・文章心理学 Linguistic psychology
19	言語社会学 Sociology of language
21	計量言語学・言語統計学 Mathematical linguistics
23	コミュニケーション Communication
26	翻訳 Translation
29	言語教育 Language education

資料の並べ方と図書記号

How to Organize Library Materials and Book Number

(1) 資料の並べ方　how to organize library materials

　図書館の資料の背表紙のラベルには、分類記号や図書記号、巻冊数などが書かれています。これらを請求記号と言います。

　図書館の資料は、この請求記号にしたがって並べられています。そして、請求記号はOPACで検索すれば、わかるようになっています。

関西国際センター図書館　OPACの検索画面より

10章
分類法

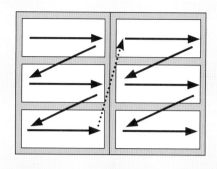

資料は、基本的に、請求記号にしたがって、書架の左から右、上から下に並べられます 。

（2）図書記号　book numbers

　　分類記号は、資料を主題でグループ分けしたものです。同じ主題の資料がたくさんある場合、同じ分類記号の資料が多くなり、資料が見つけにくくなってしまいます。ですから、同じ分類記号を持つ資料を区別し、どの書架にあるかわかるようにするために、図書館ではそれぞれの図書館のルールにしたがって、図書記号をつけています。

 いろいろな図書記号

　　図書記号のつけ方は図書館によって違いますが、図書記号は大きく次の５つのタイプに分かれます。これらをいくつか組み合わせて使っている図書館もあります。
　　（a）著者記号（『日本著者記号表　改訂版』による記号）
　　（b）著者名の読み
　　（c）書名の読み
　　（d）受入順
　　（e）出版年

Notes

『日本著者記号表　改訂版』 "Japanese Author Table（revised edition）"

　　アルファベットと２桁の数字の組み合わせでできたものです。もり・きよし（森清）が日本人の名前のためにつくった記号表ですが、外国人の名前にも使うことができるようになっています。
　　『日本著者記号表　改訂版』は主に大学図書館で使われています。関西国際センター図書館では、日本語の学習を始めたばかりの研修参加者もいるため、アルファベットと数字だけでできている、この著者記号を使っています。

著者名：もりきよし
発行者：日本図書館協会
発行年：1989 年

たとえば、『声に出して読みたい日本語』（齊藤孝 著）の図書記号には、次のようなものがあります。

（a）著者記号	（b）著者名の読み	（c）書名の読み	（d）受入順	（e）出版年
809.4	809.4	809.4	809.4	809.4
Sa 25	Sai	Koe	43	2001

　このほかに、1冊だけでなくシリーズで何冊も出版されている場合は何巻目かがわかるように巻冊数を書いたり、同じ図書が複数部ある場合は複本の番号を書いたりする図書館もあります。

「金田一先生の日本語教室」
　シリーズ1巻
『世界のことばと日本語』

810.8
Ki 42
1

　　← 巻冊番号

　小説の場合は、同じ著者の作品がまとまっているほうがわかりやすいので、著者記号、著者名の読みなどが使われることが多いです。また、公共図書館では著者名の読みに、平仮名や片仮名が使われることが多いです。

　たとえば、『手紙』（東野圭吾 著）の場合、次のような図書記号が使われています。

（a）著者記号	（b）著者名の読み
913.6	913.6
H 55	ヒガ

また、小説がほかの図書とは別の場所に配架される場合には、分類記号を使わずに
Fiction の F などの別置記号（location mark）が使われることもあります。

別置記号

　大学図書館では、図書記号に著者記号（アルファベットと数字を使ったもの）を使っているのに対し、公共図書館では、著者名や書名の読み（平仮名や片仮名を使ったもの）を使っていることが多いです。これは、公共図書館はさまざまな人々によって利用されるため、多くの利用者にとってわかりやすい五十音順が使われているからだと考えられます。

＊「図書記号」については、関西国際センターで実施した平成22年度文化・学術専門家日本語研修（6ヶ月コース）の研修参加者である、中国の遼寧省図書館の馬卓さんの最終発表「日本の図書館の図書分類法の分析」を参考にしました。

11章

EDUCATION FOR LIBRARIANSHIP

司書の養成教育

❶ 司書資格を取るには … What You Need in Order to Be Qualified as Librarian

　図書館で司書として働くためには、ある程度の専門的な知識や技術が必要です。医師や裁判官や弁護士などは、それぞれの国家試験に合格することで資格がとれますが、司書の場合はそのような国家試験はありません。大学などの教育機関で文部科学省令によって決められた教育を受ければ、司書資格がとれるようになっています。

❷ 学習の方法 ………………………………………………………… How to Study

　図書館の仕事についての専門的な教育は、主に大学で行っています。専攻科目として図書館情報学を学習する方法もありますが、専攻ではない科目として学習することもできます。また、通信教育や e-learning で学習することもできます。

（a）大学、短期大学などで授業を受ける
　　▶ 専門教育を受ける（図書館学を専攻科目として授業を受ける）
　　▶ 司書課程をとる
　　　（専攻ではない科目として図書館関連の授業を受ける）
（b）司書講習（大学の休み中に行われる集中講習）を受ける
（c）通信教育を受ける

司書資格に必要な科目と単位数

The Subjects and Number of Credits Necessary to Be Qualified as Librarian

司書資格に必要な科目と単位数については、「図書館法」や「図書館法施行規則」で決められています。2012年4月から、13科目24単位以上をとることになりました。

	No.	区分	科目名	単位数
必修科目	1	基礎科目	生涯学習概論	2単位
	2		図書館概論	2単位
	3		図書館情報技術論	2単位
	4		図書館制度・経営論	2単位
	5	図書館サービスに関する科目	図書館サービス概論	2単位
	6		情報サービス論	2単位
	7		児童サービス論	2単位
	8		情報サービス演習	2単位
	9	図書館情報資源に関する科目	図書館情報資源概論	2単位
	10		情報資源組織論	2単位
	11		情報資源組織演習	2単位
選択科目	12 / 13	（2科目選択）	図書館基礎特論	1単位
			図書館サービス特論	1単位
			図書館情報資源特論	1単位
			図書・図書館史	1単位
			図書館施設論	1単位
			図書館総合演習	1単位
			図書館実習	1単位

③ 司書の専門性 ···························· Librarian's Expertise

　司書（図書館員）の専門性は、利用者と図書館資料について知り、利用者に図書館資料を結びつけることであると言われてきました。たとえば、分類をしたり目録をつくったり、レファレンスをしたりすることです。

```
 1．利用者を知ること
 2．資料を知ること
 3．利用者と資料を結びつけること
日本図書館協会図書館員の問題調査研究委員会「図書館員の専門性とは何か（最終報告）」
                         『図書館雑誌』 1974.vol.68 No3. より抜粋
```

　1965 年から 1980 年代半ばにかけて、図書館で貸出サービスに力を入れるようになると、カウンターで利用者とやりとりをすることによって、よりよい選書や図書館の運営をすることが司書の専門性だと考えられるようになりました。

　しかし、1990 年代後半になると、分類や目録作成、カウンターでの貸出サービスなどは民間会社に業務委託（アウトソーシング）をすることが多くなり、司書でなくてもできると考えられるようになっていきました。また、そのころからレファレンスサービスの能力が重要だと考えられるようになりました。

　さらに近年では、図書館のマネージメント（図書館経営）能力も司書の専門的な能力の一つとして求められるようになっています。

④ 就職するには ··························· How to Get a Library Job

　図書館に就職するには、司書の募集を探して応募し、試験や面接を受けます。募集は図書館が行う場合と、図書館がある地方自治体が行う場合があります。

（1）応募条件　qualifications for job application

　応募の条件には、大学や短期大学などを卒業していることや、司書資格を持っていることなどがあります。公共図書館の場合は、司書資格がないと応募できない場合もあります。ただ、日本には、図書館に司書資格を持った人（＝「司書」）を必ず採用をしなければならないという法律がないので、司書資格を応募条件にしていない図書館も多くあります。実際、毎年約 1 万人の人が司書資格をとりますが、そのうち図書館に就職する人は 1％ぐらいしかいません。

　　　　　　　　　　　　　（2002 年の日本図書館協会図書館学教育部会調査による）

（2）採用方法　screening procedures

筆記試験（一般教養・専門）や面接などを行っているところが多いですが、その方法は図書館や地方自治体によって違います。

国立国会図書館や国立大学の図書館の場合、まず公務員試験と同じような試験（一般教養の試験）に合格しなければなりません。

公共図書館の場合も、公務員試験と同じような試験（一般教養の試験）をしているところが多いのですが、試験の内容は地方自治体によっていろいろです。司書（＝司書資格がある人）を募集して、一般教養の試験だけでなく図書館についての専門の試験を行っているところもありますし、司書資格に関係なく広く募集して、一般教養の試験だけを行っているところもあります。

Notes

職種　job types

日本には「図書館では司書を必ず採用しなければならない」という法律がないので、募集のときの職種や身分もさまざまです。司書資格のある人を募集しているところもありますが、「一般職員（司書含む）」として募集しているところもあります。また近年、国の行財政改革や不況などの影響で、公務員の数は減り、非正規の職員（嘱託職員・臨時職員）が増えています。さらに、貸出や分類・目録作成などの業務委託（アウトソーシング）が進み、ますます正規職員として働く司書のポストが少なくなっています。

（☞P164「図書館（職）員とは」）

---

①公共図書館　public libraries

公共図書館に就職したい場合、都道府県や、市・区などの地方自治体が行っている試験を受けます。地方自治体によっては、職種の一つとして「司書」があるところと、ないところがあります。「司書」という職種がない場合は、「一般（行政）職員」の試験に合格した人の中から司書資格がある人が選ばれ、図書館で働く場合もあります。

★「司書」として採用する自治体　local governments which hire applicants as librarians
採用の方法：地方自治体ごとに行っている「司書」の採用試験を受ける。
試験内容：１次試験：筆記試験（一般教養、専門）
　　　　　　２次試験：面接など
応募条件：司書資格が必要なところが多い。

★「一般（行政）職員」として採用する自治体
local governments which hire applicants as general administrative officers

採用の方法：地方自治体ごとに行っている公務員試験（一般行政の専門試験：行政学、法律学、経済学）を受ける。

試験内容：地方自治体によって試験内容が違う。

応募条件：司書資格は必要なし。

②国立国会図書館　National Diet Library（NDL）

国立国会図書館では、司書としての仕事のほかに、調査や一般事務の仕事があるので、司書資格は必ずしも必要ではありません。試験内容は、ほかの地方自治体の試験と同じように、一般教養の試験や面接などがありますが、社会科学、人文科学、自然科学から1科目選択する専門科目（図書館情報学を含む）と外国語の試験などがあります。

★国立国会図書館職員の試験　employment examination for the NDL staff positions

採用の方法：総合職試験（大学卒業レベル）、一般職試験（A：大学卒業レベル）、一般職試験（B：高校卒業レベル）を受ける。

試験内容：1次試験：筆記試験（一般教養）

2次試験：筆記試験（専門、外国語、小論文）、面接など

3次試験：面接

応募条件：司書資格は必要なし。

③大学図書館　university libraries

大学図書館の採用方法は、国立大学か公立大学か私立大学かによって違います。

国立大学の図書館の場合は、国立大学が法人化された2004年から、日本全国を7つの地区（北海道、東北、関東甲信越、東海・北陸、近畿、中国・四国、九州）に分けて、「職員統一採用試験」が行われることになりました。図書館での業務を希望する場合は、2次試験で専門の試験を受けることになります。

公立大学の図書館の場合は、地方自治体が行っている公務員や公共図書館の司書の試験といっしょに試験を行うことが多いようです。

私立大学の図書館の場合は、大学によって違います。また、「司書」として採用することは少なくなっているようです。

★国立大学　national universities

採用の方法：日本全国7つの地区で行われる「職員統一採用試験」の試験区分「図書」の試験を受ける。

試験内容　：１次試験：筆記試験（一般教養）
　　　　　　２次試験：筆記試験（専門）
　　　　　　面接
応募条件　：司書資格は必要なし。

★公立大学　public universities
採用の方法：地方自治体が行っている司書や公務員の採用試験を受ける。
試験内容　：地方自治体によって試験内容が違う。
応募条件　：図書館によって違い、司書資格が必要な場合と必要でない場合がある。

★私立大学　private universities
採用の方法：大学によって採用の方法は違う。
試験内容　：大学によって試験内容が違う。
試験資格　：図書館によって違い、司書資格が必要な場合と必要でない場合がある。

Point

「図書館（職）員」とは　What are library staff ?

　現在の図書館には、司書（＝司書資格を持っている人）とそうでない人、正規職員と非正規職員、委託会社からの派遣職員など、いろいろな立場の人がいます。つまり、日本では「司書」という仕事が専門職であるとはまだ十分に認められていないということです。そこで、図書館で働く人は広く「図書館（職）員」と呼ばれています。そして、「利用者の秘密を守る」などのモラルは、司書だけでなく、すべての「図書館員」が自ら守らなければならないことであると考えられています。

『図書館員の倫理綱領』（☞付録 P211）

日本十進分類法の補助表と相関索引

NIPPON DECIMAL CLASSIFICATION'S AUXILIARY TABLE AND RELATIVE INDEX

『日本十進分類法 新訂10版』は、『本表・補助表編』と、『相関索引・使用法編』の2冊でできています。

資料の分類記号がわかっている場合、また資料の主題（テーマ）からどこに分類されるかだいたい予想できる場合は、本表を使って分類記号を確認することができます。

でも、本表の分類記号だけでは資料の主題（テーマ）が表現できない場合は、分類記号をつけ加えることができます。このような場合に使われる分類記号があり、それらをまとめたものを「補助表」と言います。

「固有補助表」

補助表には、ある程度広く使うことができる「一般補助表」のほかに、限られた分類でだけ使うことができる「固有補助表」という補助表があります。「固有補助表」は、『本表』の細目表の中に、使う場所ごとに書かれています。

1 日本十進分類法（NDC）の「補助表」
NDC's Auxiliary Table

一般補助表には、「形式区分」「地理区分」「海洋区分」「言語区分」があります。主な固有補助表には、「言語共通区分」「文学共通区分」があります。

（1）形式区分　form division

同じ主題（テーマ）について書かれた資料であっても、その主題（テーマ）について歴史的に書かれたものなのか、その主題（テーマ）についての辞書なのかなど、書き方や編集の仕方によって分類は変わります。

たとえば、「911 詩歌」や「911.1 和歌. 短歌」の場合、資料の形式の違いがわかるように、「911.02 詩歌史」「911.08 詩歌集」や、「911.101 理論. 歌学」「911.102 和歌史」「911.104 論文集」などの分類記号がつけられます。このような分類記号のことを「形式区分」と言い、できるだけ覚えやすくするために、数字に共通の意味を持たせています。

（例）書名　　：『詩歌日本史』
　　　分類記号：911.02

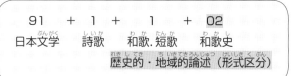

91　　＋　1　＋　02
日本文学　詩歌　詩歌史
　　　　　　　　　　歴史的・地域的論述（形式区分）

　　　書名　　：『歌ことばの歴史』
　　　分類記号：911.102

91　＋　1　＋　1　＋　02
日本文学　詩歌　和歌.短歌　和歌史
　　　　　　　　　　　　　歴史的・地域的論述（形式区分）

　形式区分は、文学だけでなく、ほかの主題（テーマ）でも使われます。

（例）書名　　：『概説社会思想史』
　　　分類記号：309.02

309　　＋　　02
社会思想　社会思想・運動史
　　　　　　　歴史的・地域的論述（形式区分）

（2）数字が共通の意味を持つ分類記号
classification notation when Arabic numerals have common meanings

　一般補助表の分類記号は、数字が意味を持つので覚えやすく、数字の組み合わせで主題（テーマ）がわかるという長所があります。

210　日本史
220　アジア史（東洋史）
230　ヨーロッパ史（西洋史）
　　　　　地理区分

721　日本画
722　東洋画
723　洋画
　　　　　地理区分

　しかし、一つの数字がいつも一つの意味に対応するのではありません。たとえば、「1」「2」「3」という数字は、地理区分では＜1：日本＞＜2：アジア＞＜3：ヨーロッパ＞の意味ですが、言語区分では＜1：日本語＞＜2：中国語＞＜3：英語＞の意味になります。

810　日本語
820　中国語
830　英語
　　　　　言語区分

910　日本文学
920　中国文学
930　英米文学　English and American literature
　　　　　言語区分

また、言語区分「1」は「日本語」の意味ですが、たとえば文学形式区分では＜1：詩＞、形式区分では＜01：理論＞の意味になります。さらには、「1：和歌」の場合のように、その分野が必要とする固有の意味を表す場合もあります。ですから、同じ「1」でもいろいろな意味を表すので、日本十進分類法（NDC）の本表で確認することが必要です。

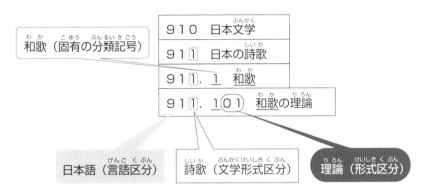

| 910 日本文学 |
| 911 日本の詩歌 |
| 911.1 和歌 |
| 911.101 和歌の理論 |

和歌（固有の分類記号）
日本語（言語区分）　詩歌（文学形式区分）　理論（形式区分）

日本十進分類法（NDC）の「一般補助表」

形式区分　Form division（主な部分）

－ 01	理論、哲学	Theory. Philosophy
－ 02	歴史的・地域的論述	History and conditions
－ 03	参考図書	Reference books
	（辞書、ハンドブック etc.）	(Dictionaries, handbooks)
－ 04	論文集、評論集、講演集	Miscellany
－ 05	逐次刊行物	Serial publications
－ 06	学会、協会、会議	Organizations
－ 07	研究法、指導法、教育	Study and teaching
－ 08	叢書、全集、選集	Series

地理区分　Geographic division. Area tables（主な部分）

－ 1	日本		
	－ 11 北海道地方	－ 12 東北地方	－ 13 関東地方
	－ 14 北陸地方	－ 15 中部地方	－ 16 近畿地方
	－ 17 中国地方	－ 18 四国地方	－ 19 九州地方
－ 2	アジア		
－ 3	ヨーロッパ		
－ 4	アフリカ		
－ 5	北アメリカ		
－ 6	南アメリカ		
－ 7	オセアニア．両極地方		

実務編

167

海洋区分　Sea division（主な部分）			言語区分　language division（主な部分）	
－1	太平洋	Pacific Ocean	－1	日本語
－2	北太平洋	North Pacific Ocean	－2	中国語
－3	南太平洋	South Pacific Ocean	－3	英（米）語
－4	インド洋	Indian Ocean	－4	ドイツ語
－5	大西洋	Atlantic Ocean	－5	フランス語
－6	地中海	Mediterranean Sea	－6	スペイン語
－7	北極海	Arctic Sea	－7	イタリア語
－8	南極海	Antarctic Sea	－8	ロシア語
			－9	その他の言語

日本十進分類法（NDC）の主な「固有補助表」

言語共通区分　Subdivision of individual languages

（810～890で使います）

－1	音声、音韻、文字	Phonetics. Phonology. Writing
－2	語源、意味	Etymology. Semantics
－3	辞典	Dictionaries
－4	語彙	Vocabularies
－5	文法、語法	Grammar. Usage
－6	文章、文体、作文	Sentences. Styles. Conversations
－7	読本、解釈、会話	Readers. Interpretations. Conversations
－8	方言、訛語	Dialects

文学共通区分　Subdivision of individual literatures （主な部分）

（910～990で使います）

－1	詩歌	Poetry
－2	戯曲	Drama
－3	小説、物語	Fiction
－4	評論、エッセイ、随筆	Essays, Prose
－5	日記、書簡、紀行	Diaries, Letters, Travels
－6	記録、手記、ルポルタージュ	Reportage
－7	箴言、アフォリズム、寸言	Aphorism
－8	作品集：全集、選集	Collections

補助表の使い方
How to Use Auxiliary Tables

　補助表を使って分類するとき、補助表の分類記号をそのまま規則的につければいい場合と、ゼロをつけたりとったりする例外的な規則がある場合があります。

（1）規則的な場合　regular classification

次のような場合は、補助表の分類記号をそのまま規則的につけます。

　①形式区分　form division

（例）書名：『あたらしい日本語』

　　　分類記号：810

　　　書名：『日本語事典』

　　　分類記号：810.33

> 81　＋　033
> 日本語　辞典　（形式区分）

　②地理区分　Geographic division．Area tables

（例）書名：『国立図書館』

　　　分類記号：016.1

　　　書名：『アジアの国立図書館』

　　　分類記号：016.12

> 016.1　＋　2
> 国立図書館　アジア　（地理区分）

　　地理情報が重要なところでは、『日本十進分類法 新訂10版』の『本表・補助表編』の中に、「＊地理区分」と書かれています。

『日本十進分類法 新訂10版』の『本表・補助表編』p106より

> 164　神話．神話学　Myths. Mythology
> 　　＊地理区分
> .31　ギリシャ神話
> .32　ローマ神話

Notes

　　『日本十進分類法 新訂10版』の『本表・補助表編』に「＊地理区分」と書かれていないところで地理区分をしたい場合は、形式区分の「02（歴史的・地域的論述）」をつけてから地理区分することになっています。

実務編

③言語区分　language division

（例）　書名　　：『ハリー・ポッターと賢者の石』
　　　　分類記号：933

9 +	3 +	3
文学	英語（言語区分）	小説（文学共通区分）

　　　　書名　　：『魯迅全集』
　　　　分類記号：928

9 +	2 +	8
文学	中国語（言語区分）	作品集（文学共通区分）

④言語共通区分　subdivision of individual languages

（例）　書名　　：『日本語事典』
　　　　分類記号：810.33

81 +	033
日本語	辞典（形式区分）

　　　　書名　　：『日本語文法大辞典』
　　　　分類記号：815.033

81 +	5 +	033
日本語	文法（言語共通区分）	辞典（形式区分）

⑤文学共通区分　subdivision of individual literatures

（例）　書名　　：『日本文学史論』
　　　　分類記号：910.2

91 +	02
日本文学	歴史（形式区分）

　　　　書名　　：『日本詩歌史』
　　　　分類記号：911.02

91 +	1 +	02
日本文学	詩歌（文学共通区分）	歴史（形式区分）

（2）例外的な規則がある場合　exceptional rules

次のような場合は、一般補助表の分類記号をつけるときに、ゼロをつけたりとったりします。

① 「0」（ゼロ）を一つ多くつける場合　when additional 0（zero）is attached

★歴史の分類記号　classification notation for history

歴史の資料においては、どの国の、どの時代の内容かということが重要な情報です。

たとえば日本の歴史の資料は、NDC では「21」（2：歴史　1：日本）と決まっています。それらの資料は、日本の歴史全体について書かれたもの（a）か、それとも日本の歴史のある時代について書かれたもの（b）かによって、大きく二つに分かれます。これらのうち、（b）のタイプの資料のほうが多いです。NDC ではそれぞれの時代ごとに分類記号（210.1 ～ 210.76）が決まっていて、本表に書かれています。

例：「210　日本史」での時代による区分
Division by periods under "NDC 210 Japanese History"

分類記号		（例）書名	
210	日本史	『日本史研究入門』	（a）日本の歴史全体について
		『最新日本歴史辞典』	書かれた資料
210.1	通史	『英語で読む日本史』	
210.2	原始時代	『日本考古学史』	
210.3	古代	『聖徳太子』	
210.4	中世	『中世日本の歴史』	
210.5	近世	『近世日本の歴史』	（b）日本の歴史のある時代に
210.6	近代	『近代日本の歴史と論理』	ついて書かれた資料
210.7	昭和・平成時代	『現代史資料索引』	
210.75	太平洋戦争	『この国で戦争があった』	
210.76	太平洋戦争後	『戦後のはじまり』	

形式区分　form division

これらの資料が、どのような形式で書かれたものかがわかるように、「形式区分」の分類記号をつけることができます。ただ、「（a）日本の歴史全体について書かれた資料」の場合、「（b）日本の歴史の中のある時代について書かれた資料」の時代による区分と区別するために、形式区分の前にゼロを一つつけなければならない、という例外的な規則があります。

（a）日本の歴史全体について書かれた資料 ＋ 形式区分

書名　　：『日本史研究入門』
分類記号：210.01

> 21 ＋ 0 ＋ 01
> 日本史　全体　理論・哲学（形式区分）

書名　　：『最新日本歴史辞典』
分類記号：210.033

> 21　　　　＋　0　＋ 033
> 日本史　全体　　辞典（形式区分）

　もしゼロがなかったら、分類記号が 210.33 になり、時代によって分けられた「210.3 古代」の中の「210.33 飛鳥時代」と、同じ分類記号になってしまいます。

（b）日本の歴史の中のある時代について書かれた資料

書名　　：『飛鳥　古代を考える』
分類記号：210.33

> 21　＋　　033
> 日本史　　飛鳥時代

★経済史・社会史・芸術／美術／音楽史・文学史などの分類記号
classification notation for histories of economy, society, art/music, literature, etc.

　経済史（332）、社会史（362）、芸術史（702）などの主題（テーマ）では、その主題（テーマ）について歴史全体にわたって書かれた資料や、歴史の中のある時代に絞って書かれた資料がたくさんあります。以下は、ある主題（テーマ）をある時代に絞って書かれた資料の例です。

332	経済史・事情	書名：『お江戸の経済事情』 分類記号・332.105
362	社会史・社会体制	書名：『古代社会史』 分類記号：362.03
523	西洋の建築	書名：『ゴシック　世界の建築』 分類記号：523.045
702	芸術史・美術史	書名：『鎌倉の美術』 分類記号：702.142
723	洋画	書名：『印象派の歴史』 分類記号：723.05
762	音楽史	書名：『ショパンとロマン派の音楽』 分類記号：762. 06
902	文学史	書名：『近代文学論』 分類記号：902.05

　これらの主題（テーマ）の資料を整理するとき、その資料がどの時代のことを書いているのかが重要になります。ですから、NDC では時代ごとに分類記号が決められていて、本表に書かれています。

たとえば、「332　経済史・事情.　経済体制」では分類記号（332.02～332.06）があって、時代ごとに分類することができます。

例：「332　経済史」での時代による区分
Division by periods under "NDC 332 Economic History"

分類記号		（例）書名	
332	経済史・事情 経済体制	『一般社会経済史』	（a）経済史・事情・経済体制全体について書かれた資料
332.02	原始経済	『石器時代の経済学』	（b）経済史・事情・経済体制について、経済史の中のある時代について書かれた資料
332.03	古代経済史	『古代社会経済史』	
332.04	中世経済史	『欧洲中世経済ギルドの研究』	
332.06	近代経済史	『近代資本主義の成立』	

形式区分　form division

　これらの資料が、どのような形式で書かれたものかがわかるように、「形式区分」の分類記号をつけます。ただ、「(a) 経済史全体について書かれた資料」の場合、「(b) 経済史の中のある時代について書かれた資料」の時代による区分と区別するために、形式区分の前にゼロを一つつける、という例外的な規則があります。

(a) 経済史全体について書かれた資料　＋　形式区分

　　書名　　　：『社会産業論文集』
　　分類記号：332.004

> 332　＋　0　＋　04
> 経済史　全体　論文集・評論集・講演集・会議録（形式区分）

　もしゼロがなかったら、分類記号が 332.04 となるため、時代によって分けられた「332.04 中世経済史」と同じ分類記号になってしまいます。

(b) 経済史の中のある時代について書かれた資料

　　書名　　　：『中世の世界経済』
　　分類記号：332.04

> 332　＋　04
> 経済史　中世

② 「0」（ゼロ）を一つとる（省く）場合　when 0（zero）is omitted
　宗教（160/190）、社会科学（310/390）、産業（610/690）、芸術（710/790）の分野には、あるテーマについて理論的に、また歴史的に書かれた資料が多くあります。
　そこで、ＮＤＣの『本表・補助表編』の細目表には、「0」（ゼロ）をとって桁数を短くするよう、次のような指示が書かれています。

（例）『日本十進分類法 新訂10版』の『本表・補助表編』p109 より

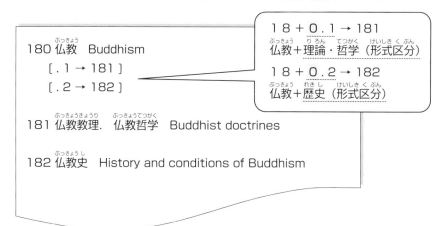

　たとえば宗教（160/190）の中の仏教（180）を例にすると、「仏教哲学」や「仏教史」についての資料はたくさんあるので、これらについては、「180.1」や「180.2」のように記号の数が長い分類記号で示すのではなく、「181」「182」のように短く表しましょう、というルールです。司書にとっても利用者にとっても、わかりやすくて利用しやすいように、ＮＤＣにはこのような例外的な規則があります。

書名　　　：『仏教心理の研究』
分類記号：181

> 180. ＋ 1 → 181
> 仏教　　理論（形式区分）

書名　　　：『基礎の仏教史』
分類記号：182

> 180. ＋ 2 → 182
> 仏教　　歴史（形式区分）

〔参考〕
『日本十進分類法 新訂10版』の『本表・補助表編』p153 より

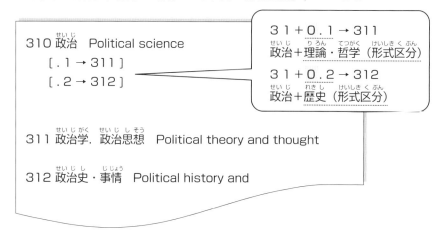

『日本十進分類法 新訂10版』の『本表・補助表編』p330 より

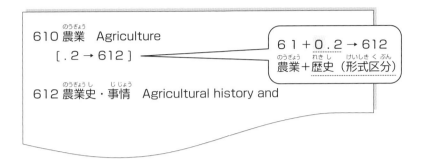

610 農業　Agriculture

[.2 → 612]

61 + 0.2 → 612
農業 + 歴史（形式区分）

612 農業史・事情　Agricultural history and

『日本十進分類法 新訂10版』の『本表・補助表編』p377 より

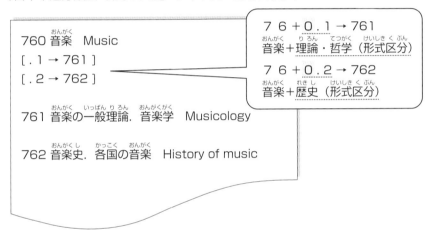

760 音楽　Music

[.1 → 761]

[.2 → 762]

76 + 0.1 → 761
音楽 + 理論・哲学（形式区分）

76 + 0.2 → 762
音楽 + 歴史（形式区分）

761 音楽の一般理論. 音楽学　Musicology

762 音楽史. 各国の音楽　History of music

③二国間の関係を表す「0」（ゼロ）

"0" (zero) for representing bilateral relations between 2 countries

「319　外交」「678.2　貿易史・事情」では、二つの国の国際関係について書かれた資料がたくさんあります。このような場合、一つの国を表す地理区分と、もう一つの国を表す地理区分の間に「0」（ゼロ）をつけ、二国間の関係がわかるようにします。

書名　　　：『変わる日ロ関係』
分類記号：319.1038

319.　＋ 1 ＋ 0 ＋ 38
外交. 国際問題　日本　　　ロシア（地理区分）

書名　　　：『日米貿易摩擦・米国経済と計量モデル』
分類記号：678.21053

678.2　＋ 1 ＋ 0 ＋ 53
貿易史・事情　日本　　　アメリカ（地理区分）

実務編

3 相関索引について
Relative Index

　資料がどこに分類されるかよくわからない場合、『相関索引・使用法編』の「相関索引」で、資料のキーワードや分野から分類記号を調べることができます。

　たとえば、「コーヒー」という言葉を「相関索引」で調べると、次の5つの分類記号があることがわかります。

コーヒー	（作物栽培）	617.3
	（食品）	596.7
	（植物学）	479.97
	（農産加工）	619.89
	（民俗）	383.889

　これらの分類記号のうち、どれが一番適切か、『本表・補助表編』を見て、その前後にある項目も見ながら確認します。

　『相関索引・使用法編』の「相関索引」の分類記号には、補助表の分類記号がついていない場合があります。ですから、さらに詳しく分類する場合は、分類の担当者が補助表の分類記号をつけていくことになります。

第２次区分表（綱目表）

Table of Second Categories (Item List)

00 総記

01	図書館．図書館学
02	図書．書誌学
03	百科事典
04	一般論文集　一般講演集
05	逐次刊行物
06	団体
07	ジャーナリズム　新聞
08	叢書．全集．選書
09	貴重書．郷土資料． その他の特別コレクション

10 哲学

11	哲学各論
12	東洋思想
13	西洋哲学
14	心理学
15	倫理学．道徳

16 宗教

17	神道
18	仏教
19	キリスト教

20 歴史

21	日本史
22	アジア史．東洋史
23	ヨーロッパ史．西洋史
24	アフリカ史
25	北アメリカ史
26	南アメリカ史
27	オセアニア史．両極地方史
28	伝記

29 地理．地誌．紀行

30 社会科学

31	政治
32	法律
33	経済
34	財政
35	統計
36	社会
37	教育
38	風俗習慣．民俗学．民族学
39	国防．軍事

40 自然科学

41	数学
42	物理学
43	化学
44	天文学．宇宙科学
45	地球科学．地学
46	生物科学．一般生物学
47	植物学．
48	動物学

49 医学．薬学

50 技術．工学

51	建設工学．土木工学
52	建築学
53	機械工学．原子力工学
54	電気工学．電子工学
55	海洋工学．船舶工学．兵器
56	金属工学．鉱山工学
57	化学工業
58	製造工業

59 家政学．生活科学

実務編

　レファレンスサービスの際に使う資料をレファレンス資料、またはレファレンスツールと呼びます。レファレンスツールは図書や電子資料などの形で提供されていますが、近年はオンラインデータベースなどの電子資料の利用が増えています。

　ここでは、電子資料による情報検索の概要・特徴と、基本的なオンラインレファレンスツールを紹介します。

1 電子資料によるレファレンスツール
Electronic　Reference Tools

（1）概要　overview

　日本の公共図書館でコンピュータが使われはじめたのは1970年代後半のことですが、OPACが広く使われるようになったのは1980年代に入ってからです。そして1990年代後半、インターネットの普及にしたがって、それぞれの図書館の蔵書目録や、複数の図書館の蔵書を一度に検索する総合目録が、Web-OPACとしてインターネット上に公開されるようになりました。またこのころには、書誌情報だけでなく、資料そのものをインターネットで公開する、いわゆる電子図書館事業も始まっていましたが、2000年以降、インターネット回線のブロードバンド化が進むと、画像や音声資料のような重いデジタル資料も、インターネット上で検索してそのまま見られるものが増えました。

　また、主な辞書や百科事典、地図などの参考図書類も、1990年ごろからCD-ROM化・DVD-ROM化、またはオンライン化が進み、電子資料によるレファレンスツールはますます充実してきています。

（2）特徴　merits and demerits

　電子資料の大きな利点は、検索が早いことです。カード目録で資料を探したり、紙の辞書や百科事典を使ったりするのに比べて、ずっと早く目的の情報を見つけることができます。また、頻繁に更新されるため、いつも最新の情報が得られます。さらに、（1）概要 overview で述べたように、書誌情報を検索するだけでなく、その場ですぐに資料そのものをコンピュータの画面で見られる場合もあります。また、日本語以外の言語に対応する検索サイトを使えば、日本語がわか

らない人でも資料を探すことができますし、画面を拡大したり、読み上げ機能を使ったりすれば、高齢者や視覚に障害のある人にも読みやすくなります。

　逆に、電子資料による情報検索の欠点は、検索した結果、1件もヒットしなかった場合などに、検索を続けにくくなることです。紙の参考図書なら、探した箇所の近くに何らかのヒントを見つけ、それを手がかりに検索を続けることもできますが、電子資料の場合は周りの情報が見えないので、検索を続けるのが難しい場合があります。

　この理由は二つ考えられます。一つは、検索に使ったキーワードがたまたま探している資料に含まれていなかったか、または言葉の語尾や表現の違いで、目的の情報に当たらなかったこと。もう一つは、分野によっては資料やその書誌情報の電子化が遅れているため、必要な情報が電子化されていなかったことです。このような電子資料の欠点をカバーするためには、適切なキーワードを使って繰り返し検索したり、紙の資料も使って確認したりすることが大切です。

（3）形態　forms

　電子資料によるレファレンスツールは、大きく「パッケージ系ツール」と「ネットワーク系ツール」に分かれます。

　パッケージ系ツールはDVD-ROMやCD-ROMなどの形で提供されているもので、辞書や百科事典のほか、新聞・雑誌記事、地図、年鑑などがあります。出版の形をとっているものが多いため、情報の信頼性は比較的高く、またネットワーク系に比べて検索に時間がかからないという長所がありますが、情報を頻繁にアップデートすることができないという短所があります。

　ネットワーク系ツールは、コンピュータネットワークを通じて利用するもので、近年大きく成長している分野です。その中でインターネットを利用するものをオンラインレファレンスツールと言います。百科事典や新聞・雑誌記事索引など、今までパッケージ系ツールとして提供されてきた情報も、最近は少しずつネットワーク系（オンライン）に変わっています。そのほかにも調べ方ガイドやレファレンス事例集のほか、有料・無料のさまざまなデータベースがインターネット上に提供されています。ネットワーク系ツールの長所は、頻繁にアップデートされるので、いつも最新の情報が見られることです。しかし、インターネット上の情報には正しくないものも多く含まれています。ですから、レファレンスサービスに使うときは、公的機関が提供するウェブサイトなど、信頼性が高いものを利用したり、情報が正しいかどうか、複数のツールを照らし合わせて確認したりすることが大切です。

基本的な検索サイト
Websites for Basic Information Retrieval

インターネット上にはさまざまなレファレンスツールが提供されていますが、ここでは、基本的で、信頼性の高い検索ツールとして、国立国会図書館（NDL）と国立情報学研究所（NII）が提供するウェブサイトを中心に紹介します。それぞれの特徴を理解して、上手に利用しましょう。

（1）国立国会図書館　National Diet Library

国立国会図書館のウェブサイトでは、国立国会図書館の蔵書はもちろん、全国の公共図書館、公文書館、美術館などから提供された多くの情報を検索することができ、インターネット上で見られるデジタルコンテンツも多いです。また、調べものを支援するウェブサイトもあります。

国立国会図書館サーチ	［タイトル］国立国会図書館サーチ ［対応言語］日中韓英 ［検索方法］キーワード ［URL］http://iss.ndl.go.jp
例：村上春樹について調べたいが、何を読んだらいいかわからない。	

入力したキーワードに関係のある図書、論文、雑誌記事、立法情報、デジタルコンテンツなどのさまざまな資料を、多くのデータベースから一度に検索できるポータルサイトです。調べたいテーマについて、どんな資料を読んだらいいかわからないときに便利です。ただしヒット数が多いため、本当に必要な情報を絞るのが難しい場合があります。

リサーチ・ナビ 国立国会図書館	［タイトル］リサーチ・ナビ ［対応言語］日 ［検索方法］キーワード／ディレクトリ ［URL］http://rnavi.ndl.go.jp
例：中世の古典芸能について調べたいが、調べ方がわからない。	

調べものを支援するサイトです。「しらべるヒント」では、学問分野と資料の種類別に、情報探索法や検索ツールを紹介しています。調べたい分野の情報をどうやって集めたらよいかわからないとき便利です。

実務編

	[タイトル] レファレンス協同データベース [対応言語] 日 [検索方法] キーワード／ディレクトリ [URL] http://crd.ndl.go.jp
例：明治期の洋服の布地はどこの国から輸入されていたのか知りたい。	

　国立国会図書館をはじめ、全国の多くの図書館から提供されたレファレンス事例を集めたデータベースです。難しい問題に出合ったとき、過去に同じような内容のレファレンスがあったか、それがどのように解決されたのか、調べることができます。

	[タイトル] Web NDL Authorities [対応言語] 日 [検索方法] キーワード／分類記号 [URL] http://id.ndl.go.jp/auth/ndla
例：「少子化」がNDCでどの分類に当てはまるのか知りたい。また「少子化」以外の関連する検索キーワードが知りたい。	

　あるテーマが、NDCやNDLCでどのように分類されるのかを調べたり、テーマに関する件名を調べたりすることができます。「グラフィカル表示」機能では、件名と件名の関係性を図で確認することができます。

	[タイトル] Dnavi（データベース・ナビゲーションサービス） [対応言語] 日 [検索方法] キーワード／ディレクトリ [URL] http://dnavi.ndl.go.jp
例：ネット上で音声が聞ける日本の昔話を調べて、その音声を聞きたい。	

　インターネットに公開されているたくさんのデータベースを分類・整理し、リンクをはっているデータベース検索サイトです。データベース間の横断検索はできません。

	[タイトル] NDL-OPAC [対応言語] 日英 [検索方法] キーワード [URL] http://opac.ndl.go.jp
例：「いじめ」について書かれた博士論文があれば読みたい。	

国立国会図書館の図書、雑誌、視聴覚資料、博士論文などの所在情報を調べることができます。国内外の図書館間貸出サービスに登録している図書館では、このウェブサイトで貸出の手続きができます。また、利用者登録をした人は、資料の閲覧を予約したり、コピーを送ってもらったりすることもできます。

 国立国会図書館デジタル化資料	［タイトル］国立国会図書館デジタル化資料 ［対応言語］日 ［検索方法］キーワード／ディレクトリ ［URL］http://dl.ndl.go.jp
例：『平家物語絵巻』をデジタル画像で見たい。	

　国立国会図書館が所蔵する古典籍、図書、雑誌、歴史的音源、官報等を検索することができ、そのうち著作権者の許可を得たものはインターネット上で見ることができます。

国会会議録検索システム	［タイトル］国会会議録検索システム ［対応言語］日 ［検索方法］キーワード／ディレクトリ ［URL］http://kokkai.ndl.go.jp
例：2011 年（平成 23 年）12 月に開かれた第 179 回国会の予算委員会で、枝野幸男国務大臣が TPP について話した内容を知りたい。	

　第 1 回（1947年：昭和 22 年 5 月）以降、すべての国会の本会議・委員会などの会議録を、発言者名・会議名・キーワードから検索し、読むことができます。

帝国議会会議録 検索システム 国立国会図書館	［タイトル］帝国議会会議録検索システム ［対応言語］日 ［検索方法］キーワード／ディレクトリ ［URL］http://teikokugikai-i.ndl.go.jp
例：大正時代の貴族院本会議の議事録が読みたい。	

　1890 年（明治 23 年）から 1947 年（昭和 22 年）までに開催されたすべての帝国議会の速記録をデジタル画像で見ることができます。

日本法令索引 国立国会図書館	[タイトル] 日本法令索引 [対応言語] 日 [検索方法] キーワード／ディレクトリ [URL] http://hourei.ndl.go.jp
例：1945年（昭和20年）から1955年（昭和30年）までに、台風や冷害への対策としてどのような法律が施行されたか知りたい。	

　1886年（明治19年）2月以降に施行された法令（既に廃止されたものも含む）・法案・案件の審議経過などを検索できます。法令名、公布年月日、法令番号など、いろいろな方法で探すことができます。「関連情報へのリンク」から、デジタル画像またはテキストで本文を見ることもできます。

（2）国立情報学研究所　National Institute of Informatics（NII）

　国立情報学研究所では、大学図書館などの蔵書をもとに、学術情報中心の情報提供を行っています。

	[タイトル] GeNii（学術コンテンツ・ポータル） [対応言語] 日英 [検索方法] キーワード [URL] http://ge.nii.ac.jp
例：日本の自動車産業の歴史について調べたいが、どんな資料があるかわからない。	

　国立情報学研究所が提供する CiNii Articles、Webcat Plus、KAKEN、NII-DBR、JAIRO という5つのデータベースをまとめて検索できるポータルサイトです。ヒット数が多いので、情報を広く見渡すことができますが、その一方で、本当に必要な情報が絞りにくい場合があります。

	[タイトル] CiNii Articles / CiNii Books [対応言語] 日英 [検索方法] キーワード [URL] http://ci.nii.ac.jp
例：阪神・淡路大震災が日本経済に与えた影響について書かれた論文を読みたい。	

　CiNii Articles は、日本で最大の学術論文・一般雑誌記事検索データベースです。2012年（平成24年）5月現在、約1,500万件の論文データが収録されていて、そのうち約370万件

は全文を PDF で読むことができます。無料で読める論文と、有料のものがあります。

　CiNii Books では、全国の大学図書館など約 1,200 館の図書・雑誌・視聴覚資料などの所在情報を検索することができます。

	[タイトル] Webcat Plus [対応言語] 日 [検索方法] キーワード [URL] http://webcatplus.nii.ac.jp
例：徳川家康について調べたいが、何を読んだらいいかわからない。	

　「本」「作品」「人物」を手がかりに、図書や論文集などを探すことができます。「連想検索」では、入力した文や単語から連想されるキーワードをもとに、読みたい資料を絞りこんでいくことができます。調べたいことについて、広く情報を集めたいときに便利です。

	[タイトル] KAKEN（科学研究費助成事業データベース） [対応言語] 日 [検索方法] キーワード [URL] http://kaken.nii.ac.jp
例：著作権法について、最新の研究成果が知りたい。	

　文部科学省と日本学術振興会が交付する科学研究費助成金を使って行われた研究のデータベースです。最新の研究成果や研究動向を知ることができます。

学術研究データベース・リポジトリ	[タイトル] NII-DBR（学術研究データベース・リポジトリ） [対応言語] 日英 [検索方法] キーワード [URL] https://dbr.nii.ac.jp
例：日本のアニメに関する論文を探したい。	

　学会、研究者、図書館などでつくられた専門分野別学術データベースの横断検索システムです。提供するデータは書誌情報だけなので、資料を読むためには、さらに CiNii などで所在情報を確かめる必要があります。

実務編

	［タイトル］JAIRO（学術機関リポジトリポータル） ［対応言語］日英 ［検索方法］キーワード ［URL］http://jairo.nii.ac.jp
例：学校での法律問題について、大学の講義資料を探したい。	

　学術機関リポジトリに蓄積された学術情報の横断検索サービスです。会議発表用資料やテクニカルレポート、教材、ソフトウェアなども探すことができます。検索結果は各機関リポジトリにリンクされ、基本的に無料でコンテンツを見ることができます。

（3）科学技術振興機構　Japan Science and Technology Agency

◀ReaD & ◀Researchmap	［タイトル］ReaD & Researchmap ［対応言語］日英 ［検索方法］キーワード ［URL］http://researchmap.jp
例：日中経済関係の研究者と、その人の研究成果を知りたい。	

　ある分野の研究者を検索したり、研究者自身がつくった研究紹介サイトを見たりすることができます。特定の研究者の研究テーマや最新の研究成果について、詳しく知りたいときに便利です。また、学会の開催情報や、研究者の求人情報などを調べることもできます。

（4）統計センター　National Statistics Center

	［タイトル］e-Stat ［対応言語］日英 ［検索方法］キーワード ［URL］http://www.e-stat.go.jp
例：最新の日本の人口ピラミッドが見たい。	

　日本政府が作成しているさまざまな統計情報の総合窓口です。統計のタイトルのほか、キーワードで検索することができます。統計資料の閲覧やダウンロードもできます。

ウェブサイト情報まとめ

Summary of Information Search Sites

　国立国会図書館では、一般的な情報や学術的な情報を広く集めています。また、調べ方がわからない人のために、調べ方や件名を調べるツールも提供しています。ですから、テーマの調べ方がわからないときや、テーマについて広く情報を探したいときは、国立国会図書館が提供するウェブサイトを使うと便利です。

　それに対して国立情報学研究所では、全国の大学図書館などから提供された情報をもとに、学術的な情報を提供しています。ですから、学術的・専門的な文献や情報、特に研究者や最新の研究成果などを探すときは、国立情報学研究所のウェブサイトが役に立ちます。

	国立国会図書館 (NDL)	国立情報学研究所 (NII)	その他
検索ポータル	国立国会図書館サーチ	GeNii [d3i.ni.] NII学術コンテンツ・ポータル	
調べ方ガイド	リサーチ・ナビ 国立国会図書館 ／ レファレンス協同データベース Collaborative Reference Database		
件名検索	Web NDL Authorities 国立国会図書館典拠データ検索・提供サービス		
文献検索	NDL-OPAC 国立国会図書館 蔵書検索・申込システム	CiNii ／ Webcat Plus 連想×書棚で広がる本の世界	
研究者・研究動向		KAKEN 科学研究費助成事業データベース	◀ReaD & ◀Researchmap
分野別専門情報		学術研究データベース・リポジトリ	
データベース検索	Dnavi		
電子図書館	国立国会図書館デジタル化資料	JAIRØ Japanese Institutional Repositories Online	
政府関係資料	帝国議会会議録 検索システム 国立国会図書館 ／ 日本法令索引 国立国会図書館		e-Stat

実務編

3 資料の検索方法
How to Search Materials

NDL-OPAC を使って、実際に検索してみましょう。「子どもが自国以外の文化を学び合うような教育について、日本以外の事例がわかる本」を探します。

まず、NDL-OPAC の検索ボックスに「教育」というキーワードを入れて検索してみましょう。すると、928,628 件もヒットしました。これでは多すぎて、必要な資料が見つけられません。

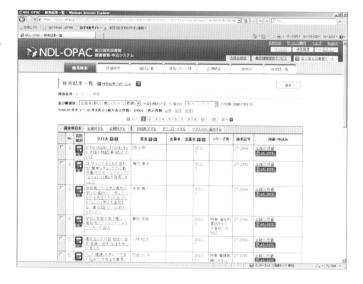

資料を探す場合は「件名」を使うと、効率的に見つけることができます。件名を使って検索範囲を絞ったり、広げたりしてみましょう。

Point

「キーワード」と「件名」　Keyword and subject heading

一般的に、コンピュータで情報検索をするとき、調べたい意味内容に関係のある言葉を自由に選んで、検索ボックスに入力します。このように、検索する人が自由に選んだ言葉を「キーワード」と言います。しかし、意味が似た言葉はたくさんありますから、たとえば「異文化教育」と「多文化教育」のように、同じ意味内容について、人によって違う言葉を考えて、入力する場合もあります。すると、ある言葉を選んだ人は目的の情報がヒットしますが、たまたま別の言葉を入力した人はほしい情報がヒットしないこともあります。

このようなことにならずに、効率よく検索できるように、図書館の世界では、「一つの意味内容について、一つの言葉で表しましょう」というルールを決めています。この「一つの言葉」を「件名」または「件名標目」と言います。たとえば、「子どもがいろいろな文化を学び合うような教育」という意味内容は「多文化教育」という件名で表すことが決まっています。ですから、このような内容の資料を探すときは、「多文化教育」という件名を入力して探すと、効率よく見つけることができます。

（1）Web NDL Authorities で件名を探す
searching subject headings with Web NDL Authorities

資料を探すキーワードがはっきりしているときは、最初からOPACの検索ボックスにキーワードを入れて探しますが、「子どもが自国以外の文化を学び合うような」のように、検索キーワードがはっきりしないときや、キーワードがわからない場合は、まず件名を検索すると便利です。では Web NDL Authorities を使って、件名を探してみましょう。

件名標目表　List of subject headings

紙の資料で件名を探すときは、「件名標目表」を使います。これは、多くの件名を50音順に並べて整理したものです。代表的な件名標目表は二つあります。一つは日本図書館協会がつくっている『基本件名標目表』(BSH) で、2012年（平成24年）7月現在、第4版が最新です。もう一つは国立国会図書館の『国立国会図書館件名標目表』(NDLSH) で、最新版は2012年（平成24年）7月現在、第5版です。Web NDL Authorities は、国立国会図書館件名標目表をインターネット上で使えるようにしたシステムで、紙の資料に比べて検索が早く、簡単にできます。

NDL Web Authorities（http://id.ndl.go.jp/auth/ndla/）
国立国会図書館典拠データ検索・提供サービス

Web NDL Authorities のトップページのボックスに、「教育」と入力し、「普通件名のみ」を選んで、「検索」ボタンを押します。

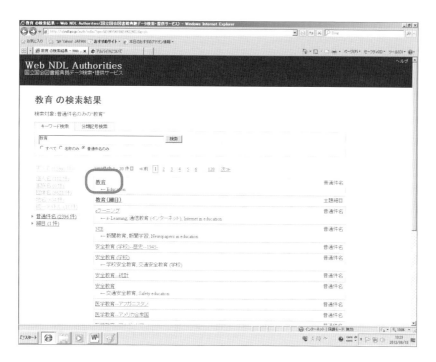

　すると「教育」と関係のある件名が 2,397 件ヒットしました。ここでは「教育」から件名を広げたいので、一番上に見えている「教育」をクリックします。

　すると、このように「教育」の下位語や関連語がたくさんヒットしました。この中から必要な件名を選んで検索を続けることもできますが、ここでは件名と件名の関係をわかりやすく示すために、「グラフィカル表示」を選びます。

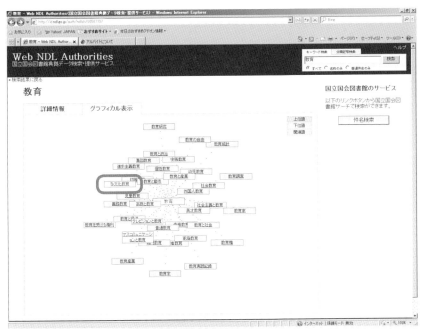

　実際の画面では、下位語は緑色、関連語はオレンジ色で示されます。「子どもが自国以外の文化を学び合う」教育を表す件名として「多文化教育」を選び、クリックします。

上位語・下位語・関連語

Broader Term（BT）, Narrower Term（NT）, Relater Term（RT）

　件名標目表の中で、より広いテーマを表す件名を「上位語」と言い、逆に狭いテーマを表す件名を「下位語」と言います。たとえば、「教育」は「多文化教育」の上位語で、「多文化教育」は「教育」の下位語です。

　また、上位・下位の関係にはなくても、テーマの関係性がある件名を「関連語」と言います。たとえば「多文化教育」の関連語は「国際理解教育」と「外国人教育」です。関連語は、検索範囲を広げるときに役に立ちます。

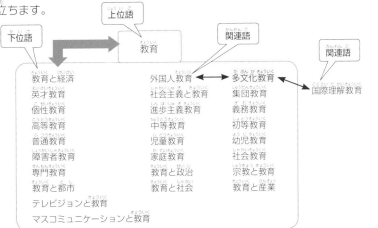

実務編

191

（2）必要な資料を探す　searching necessary materials

　このように、「多文化教育」の上位語と関連語が図で示されました。
右側の「件名検索」をクリックすると、国立国会図書館サーチの画面に飛び、「多文化教育」で
検索した結果が出ます。

　検索結果が27件表示されました。ここから「多文化教育について、日本以外の事例がわか
る本」を選びます。上から2番目の『多文化教育の国際比較：エスニシティへの教育の対応』
という図書を選んでみましょう。

（3）資料の所在情報を確認する locating materials

　このように、書誌情報が表示されました。右側に、この図書を所蔵している図書館名が並んでいます。国立国会図書館に図書館間貸出を申し込む場合は「国立国会図書館蔵書（NDL-OPAC）」をクリックします。すると、NDL-OPAC に移り、下のように表示されます。この画面で図書館間貸出の手続きを行います。

　さらに資料を探したいときは、CiNii Books など、ほかのデータベースも調べたり、関連語でも検索してみましょう。

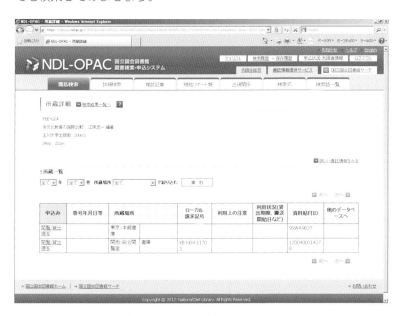

　※この検索結果は 2012 年（平成 24 年）7 月 2 日時点のものです。

図書館の自由に関する宣言

日本図書館協会
1954年　採択
1979年　改訂

　図書館は、基本的人権のひとつとして知る自由をもつ国民に、資料と施設を提供することをもっとも重要な任務とする。

1. 日本国憲法は主権が国民に存するとの原理にもとづいており、この国民主権の原理を維持し発展させるためには、国民ひとりひとりが思想・意見を自由に発表し交換すること、すなわち表現の自由の保障が不可欠である

　　知る自由は、表現の送り手に対して保障されるべき自由と表裏一体をなすものであり、知る自由の保障があってこそ表現の自由は成立する。

　　知る自由は、また、思想・良心の自由をはじめとして、いっさいの基本的人権と密接にかかわり、それらの保障を実現するための基礎的な要件である。それは、憲法が示すように、国民の不断の努力によって保持されなければならない。

2. すべての国民は、いつでもその必要とする資料を入手し利用する権利を有する。この権利を社会的に保障することは、すなわち知る自由を保障することである。図書館は、まさにこのことに責任を負う機関である。

3. 図書館は、権力の介入または社会的圧力に左右されることなく、自らの責任にもとづき、図書館間の相互協力をふくむ図書館の総力をあげて、収集した資料と整備された施設を国民の利用に供するものである。

4. わが国においては、図書館が国民の知る自由を保障するのではなく、国民に対する「思想善導」の機関として、国民の知る自由を妨げる役割さえ果たした歴史的事実があることを忘れてはならない。図書館は、この反省の上に、国民の知る自由を守り、ひろげていく責任を果たすことが必要である。

5. すべての国民は、図書館利用に公平な権利をもっており、人種、信条、性別、年齢やそのおかれている条件等によっていかなる差別もあってはならない。

　　外国人も、その権利は保障される。

6. ここに掲げる「図書館の自由」に関する原則は、国民の知る自由を保障するためであって、すべての図書館に基本的に妥当するものである。

　この任務を果たすため、図書館は次のことを確認し実践する。

第1　図書館は資料収集の自由を有する

1．図書館は、国民の知る自由を保障する機関として、国民のあらゆる資料要求にこたえなければならない。
2．図書館は、自らの責任において作成した収集方針にもとづき資料の選択および収集を行う。その際、
　（1）　多様な、対立する意見のある問題については、それぞれの観点に立つ資料を幅広く収集する。
　（2）　著者の思想的、宗教的、党派的立場にとらわれて、その著作を排除することはしない。
　（3）　図書館員の個人的な関心や好みによって選択をしない。
　（4）　個人・組織・団体からの圧力や干渉によって収集の自由を放棄したり、紛糾をおそれて自己規制したりはしない。
　（5）　寄贈資料の受入にあたっても同様である。図書館の収集した資料がどのような思想や主張をもっていようとも、それを図書館および図書館員が支持することを意味するものではない。
3．図書館は、成文化された収集方針を公開して、広く社会からの批判と協力を得るようにつとめる。

第2　図書館は資料提供の自由を有する

1．国民の知る自由を保障するため、すべての図書館資料は、原則として国民の自由な利用に供されるべきである。
　　図書館は、正当な理由がないかぎり、ある種の資料を特別扱いしたり、資料の内容に手を加えたり、書架から撤去したり、廃棄したりはしない。
　　提供の自由は、次の場合にかぎって制限されることがある。これらの制限は、極力限定して適用し、時期を経て再検討されるべきものである。
　（1）　人権またはプライバシーを侵害するもの
　（2）　わいせつ出版物であるとの判決が確定したもの
　（3）　寄贈または寄託資料のうち、寄贈者または寄託者が公開を否とする非公刊資料
2．図書館は、将来にわたる利用に備えるため、資料を保存する責任を負う。図書館の保存する資料は、一時的な社会的要請、個人・組織・団体からの圧力や干渉によって廃棄されることはない。
3．図書館の集会室等は、国民の自主的な学習や創造を援助するために、身近にいつでも利用できる豊富な資料が組織されている場にあるという特徴を持っている。
　　図書館は、集会室等の施設を、営利を目的とする場合を除いて、個人、団体を問わず公平な利用に供する。
4．図書館の企画する集会や行事等が、個人・組織・団体からの圧力や干渉によってゆがめられてはならない。

第3　図書館は利用者の秘密を守る

1．読者が何を読むかはその人のプライバシーに属することであり、図書館は、利用者の読書事実を外部に漏

らさない。ただし、憲法第35条にもとづく令状を確認した場合は例外とする。

2. 図書館は、読書記録以外の図書館の利用事実に関しても、利用者のプライバシーを侵さない。

3. 利用者の読書事実、利用事実は、図書館が業務上知り得た秘密であって、図書館活動に従事するすべての人びとは、この秘密を守らなければならない。

第4　図書館はすべての検閲に反対する

1. 検閲は、権力が国民の思想・言論の自由を抑圧する手段として常用してきたものであって、国民の知る自由を基盤とする民主主義とは相容れない。

　　検閲が、図書館における資料収集を事前に制約し、さらに、収集した資料の書架からの撤去、廃棄に及ぶことは、内外の苦渋にみちた歴史と経験により明らかである。

　　したがって、図書館はすべての検閲に反対する。

2. 検閲と同様の結果をもたらすものとして、個人・組織・団体からの圧力や干渉がある。図書館は、これらの思想・言論の抑圧に対しても反対する。

3. それらの抑圧は、図書館における自己規制を生みやすい。しかし図書館は、そうした自己規制におちいることなく、国民の知る自由を守る。

図書館の自由が侵されるとき、われわれは団結して、あくまで自由を守る。

1. 図書館の自由の状況は、一国の民主主義の進展をはかる重要な指標である。図書館の自由が侵されようとするとき、われわれ図書館にかかわるものは、その侵害を排除する行動を起こす。このためには、図書館の民主的な運営と図書館員の連帯の強化を欠かすことができない。

2. 図書館の自由を守る行動は、自由と人権を守る国民のたたかいの一環である。われわれは、図書館の自由を守ることで共通の立場に立つ団体・機関・人びとと提携して、図書館の自由を守りぬく責任をもつ。

3. 図書館の自由に対する国民の支持と協力は、国民が、図書館活動を通じて図書館の自由の尊さを体験している場合にのみ得られる。われわれは、図書館の自由を守る努力を不断に続けるものである。

4. 図書館の自由を守る行動において、これにかかわった図書館員が不利益をうけることがあっては ならない。これを未然に防止し、万一そのような事態が生じた場合にその救済につとめることは、日本図書館協会の重要な責務である

（1979年5月30日　日本図書館協会総会決議）

図書館法

（昭和 25 年 4 月 30 日法律第 118 号）

最終改正：令和元年 6 月 7 日法律第 26 号

第 1 章　総則

（この法律の目的）

第 1 条　この法律は、社会教育法（昭和 24 年法律第 207 号）の精神に基き、図書館の設置及び運営に関して必要な事項を定め、その健全な発達を図り、もつて国民の教育と文化の発展に寄与することを目的とする。

（定義）

第 2 条　この法律において「図書館」とは、図書、記録その他必要な資料を収集し、整理し、保存して、一般公衆の利用に供し、その教養、調査研究、レクリエーション等に資することを目的とする施設で、地方公共団体、日本赤十字社又は一般社団法人若しくは一般財団法人が設置するもの（学校に附属する図書館又は図書室を除く。）をいう。

2　前項の図書館のうち、地方公共団体の設置する図書館を公立図書館といい、日本赤十字社又は一般社団法人若しくは一般財団法人の設置する図書館を私立図書館という。

（図書館奉仕）

第 3 条　図書館は、図書館奉仕のため、土地の事情及び一般公衆の希望に沿い、更に学校教育を援助し、及び家庭教育の向上に資することとなるように留意し、おおむね次に掲げる事項の実施に努めなければならない。

1 ）郷土資料、地方行政資料、美術品、レコード及びフィルムの収集にも十分留意して、図書、記録、視聴覚教育の資料その他必要な資料（電磁的記録（電子的方式、磁気的方式その他人の知覚によつては認識することができない方式で作られた記録をいう。）を含む。以下「図書館資料」という。）を収集し、一般公衆の利用に供すること。

2 ）図書館資料の分類排列を適切にし、及びその目録を整備すること。

3 ）図書館の職員が図書館資料について十分な知識を持ち、その利用のための相談に応ずるようにすること。

4 ）他の図書館、国立国会図書館、地方公共団体の議会に附置する図書室及び学校に附属する図書館又は図書室と緊密に連絡し、協力し、図書館資料の相互貸借を行うこと。

5 ）分館、閲覧所、配本所等を設置し、及び自動車文庫、貸出文庫の巡回を行うこと。

6）読書会、研究会、鑑賞会、映写会、資料展示会等を主催し、及びこれらの開催を奨励すること。

7）時事に関する情報及び参考資料を紹介し、及び提供すること。

8）社会教育における学習の機会を利用して行つた学習の成果を活用して行う教育活動その他の活動の機会を提供し、及びその提供を奨励すること。

9）学校、博物館、公民館、研究所等と緊密に連絡し、協力すること。

（司書及び司書補）

第4条 図書館に置かれる専門的職員を司書及び司書補と称する。

2　司書は、図書館の専門的事務に従事する。

3　司書補は、司書の職務を助ける。

（司書及び司書補の資格）

第5条 次の各号のいずれかに該当する者は、司書となる資格を有する。

1）大学を卒業した者（専門職大学の前期課程を修了した者を含む。次号において同じ。）で大学において文部科学省令で定める図書館に関する科目を履修したもの

2）大学又は高等専門学校を卒業した者で次条の規定による司書の講習を修了したもの

3）次に掲げる職にあつた期間が通算して3年以上になる者で次条の規定による司書の講習を修了したもの

イ　司書補の職

ロ　国立国会図書館又は大学若しくは高等専門学校の附属図書館における職で司書補の職に相当するもの

ハ　ロに掲げるもののほか、官公署、学校又は社会教育施設における職で社会教育主事、学芸員その他の司書補の職と同等以上の職として文部科学大臣が指定するもの

2　次の各号のいずれかに該当する者は、司書補となる資格を有する。

1）司書の資格を有する者

2）学校教育法（昭和22年法律第26号）第90条第1項の規定により大学に入学することのできる者で次条の規定による司書補の講習を修了したもの

（司書及び司書補の講習）

第6条 司書及び司書補の講習は、大学が、文部科学大臣の委嘱を受けて行う。

2　司書及び司書補の講習に関し、履修すべき科目、単位その他必要な事項は、文部科学省令で定める。ただし、その履修すべき単位数は、15単位を下ることができない。

（司書及び司書補の研修）

第7条 文部科学大臣及び都道府県の教育委員会は、司書及び司書補に対し、その資質の向上のために必要な研修を行うよう努めるものとする。

（設置及び運営上望ましい基準）

第7条の2 文部科学大臣は、図書館の健全な発達を図るために、図書館の設置及び運営上望ましい基準を定め、これを公表するものとする。

（運営の状況に関する評価等）

第7条の3 図書館は、当該図書館の運営の状況について評価を行うとともに、その結果に基づき図書館の運営の改善を図るため必要な措置を講ずるよう努めなければならない。

（運営の状況に関する情報の提供）

第7条の4　図書館は、当該図書館の図書館奉仕に関する地域住民その他の関係者の理解を深めるとともに、これらの者との連携及び協力の推進に資するため、当該図書館の運営の状況に関する情報を積極的に提供するよう努めなければならない。

（協力の依頼）

第8条　都道府県の教育委員会は、当該都道府県内の図書館奉仕を促進するために、市（特別区を含む。以下同じ。）町村の教育委員会（地方教育行政の組織及び運営に関する法律（昭和31年法律第162号）第23条第1項の条例の定めるところによりその長が図書館の設置、管理及び廃止に関する事務を管理し、及び執行することとされた地方公共団体（第13条第1項において「特定地方公共団体」という。）である市町村にあつては、その長又は教育委員会）に対し、総合目録の作製、貸出文庫の巡回、図書館資料の相互貸借等に関して協力を求めることができる。

（公の出版物の収集）

第9条　政府は、都道府県の設置する図書館に対し、官報その他一般公衆に対する広報の用に供せられる独立行政法人国立印刷局の刊行物を2部提供するものとする。

　2　国及び地方公共団体の機関は、公立図書館の求めに応じ、これに対して、それぞれの発行する刊行物その他の資料を無償で提供することができる。

第2章　公立図書館

（設置）

第10条　公立図書館の設置に関する事項は、当該図書館を設置する地方公共団体の条例で定めなければならない。

第11条　削除

第12条　削除

（職員）

第13条　公立図書館に館長並びに当該図書館を設置する地方公共団体の教育委員会（特定地方公共団体の長がその設置、管理及び廃止に関する事務を管理し、及び執行することとされた図書館（第15条において「特定図書館」という。）にあつては、当該特定地方公共団体の長）が必要と認める専門的職員、事務職員及び技術職員を置く。

　2　館長は、館務を掌理し、所属職員を監督して、図書館奉仕の機能の達成に努めなければならない。

（図書館協議会）

第14条　公立図書館に図書館協議会を置くことができる。

　2　図書館協議会は、図書館の運営に関し館長の諮問に応ずるとともに、図書館の行う図書館奉仕につき、館長に対して意見を述べる機関とする。

第15条　図書館協議会の委員は、当該図書館を設置する地方公共団体の教育委員会（特定図書館に置く図書館協議会の委員にあつては、当該地方公共団体の長）が任命する。

第16条　図書館協議会の設置、その委員の任命の基準、定数及び任期その他図書館協議会に関し必要な事項については、当該図書館を設置する地方公共団体の条例で定めなければならない。この場合におい

て、委員の任命の基準については、文部科学省令で定める基準を参酌するものとする。

（入館料等）

第17条　公立図書館は、入館料その他図書館資料の利用に対するいかなる対価をも徴収してはならない。

第18条　削除

第19条　削除

（図書館の補助）

第20条　国は、図書館を設置する地方公共団体に対し、予算の範囲内において、図書館の施設、設備に要する経費その他必要な経費の一部を補助することができる。

　2　前項の補助金の交付に関し必要な事項は、政令で定める。

第21条　削除

第22条　削除

第23条　国は、第20条の規定による補助金の交付をした場合において、左の各号の一に該当するときは、当該年度におけるその後の補助金の交付をやめるとともに、既に交付した当該年度の補助金を返還させなければならない。

　1）図書館がこの法律の規定に違反したとき。

　2）地方公共団体が補助金の交付の条件に違反したとき。

　3）地方公共団体が虚偽の方法で補助金の交付を受けたとき。

第3章　私立図書館

第24条　削除

（都道府県の教育委員会との関係）

第25条　都道府県の教育委員会は、私立図書館に対し、指導資料の作製及び調査研究のために必要な報告を求めることができる。

　2　都道府県の教育委員会は、私立図書館に対し、その求めに応じて、私立図書館の設置及び運営に関して、専門的、技術的の指導又は助言を与えることができる。

（国及び地方公共団体との関係）

第26条　国及び地方公共団体は、私立図書館の事業に干渉を加え、又は図書館を設置する法人に対し、補助金を交付してはならない。

第27条　国及び地方公共団体は、私立図書館に対し、その求めに応じて、必要な物資の確保につき、援助を与えることができる。

（入館料等）

第28条　私立図書館は、入館料その他図書館資料の利用に対する対価を徴収することができる。

（図書館同種施設）

第29条　図書館と同種の施設は、何人もこれを設置することができる。

　2　第25条第2項の規定は、前項の施設について準用する。

（＊　附則などは省略しました。）

付録 3

図書館の設置及び運営上の望ましい基準

平成 24 年 12 月 19 日
文部科学省告示第 172 号

第 1 　総則

〔1〕趣旨

① この基準は、図書館法（昭和 25 年法律第 118 号。以下「法」という。）第 7 条の 2 の規定に基づく図書館の設置及び運営上の望ましい基準であり、図書館の健全な発展に資することを目的とする。

② 図書館は、この基準を踏まえ、法第 3 条に掲げる事項等の図書館サービスの実施に努めなければならない。

〔2〕設置の基本

① 市（特別区を含む。以下同じ。）町村は、住民に対して適切な図書館サービスを行うことができるよう、住民の生活圏、図書館の利用圏等を十分に考慮し、市町村立図書館及び分館等の設置に努めるとともに、必要に応じ移動図書館の活用を行うものとする。併せて、市町村立図書館と公民館図書室等との連携を推進することにより、当該市町村の全域サービス網の整備に努めるものとする。

② 都道府県は、都道府県立図書館の拡充に努め、住民に対して適切な図書館サービスを行うとともに、図書館未設置の町村が多く存在することも踏まえ、当該都道府県内の図書館サービスの全体的な進展を図る観点に立って、市町村に対して市町村立図書館の設置及び運営に関する必要な指導・助言等を行うものとする。

③ 公立図書館（法第 2 条第 2 項に規定する公立図書館をいう。以下同じ。）の設置に当たっては、サービス対象地域の人口分布と人口構成、面積、地形、交通網等を勘案して、適切な位置及び必要な図書館施設の床面積、蔵書収蔵能力、職員数等を確保するよう努めるものとする。

〔3〕運営の基本

① 図書館の設置者は、当該図書館の設置の目的を適切に達成するため、司書及び司書補の確保並びに資質・能力の向上に十分留意しつつ、必要な管理運営体制の構築に努めるものとする。

② 市町村立図書館は、知識基盤社会における知識・情報の重要性を踏まえ、資料（電磁的記録を含む。以下同じ。）や情報の提供等の利用者及び住民に対する直接的なサービスの実施や、読書活動の振興を担う機関として、また、地域の情報拠点として、利用者及び住民の要望や社会の要請に応え、地域の実情に即した運営に努めるものとする。

③ 都道府県立図書館は、前項に規定する事項に努めるほか、住民の需要を広域的かつ総合的に把握して、

資料及び情報を体系的に収集、整理、保存及び提供すること等を通じて、市町村立図書館に対する円滑な図書館運営の確保のための援助に努めるとともに、当該都道府県内の図書館間の連絡調整等の推進に努めるものとする。

④ 私立図書館（法第2条第2項に規定する私立図書館をいう。以下同じ。）は、当該図書館を設置する法人の目的及び当該図書館の設置の目的に基づき、広く公益に資するよう運営を行うことが望ましい。

⑤ 図書館の設置者は、当該図書館の管理を他の者に行わせる場合には、当該図書館の事業の継続的かつ安定的な実施の確保、事業の水準の維持及び向上、司書及び司書補の確保並びに資質・能力の向上等が図られるよう、当該管理者との緊密な連携の下に、この基準に定められた事項が確実に実施されるよう努めるものとする。

〔4〕連携・協力

① 図書館は、高度化・多様化する利用者及び住民の要望に対応するとともに、利用者及び住民の学習活動を支援する機能の充実を図るため、資料や情報の相互利用などの他の施設・団体等との協力を積極的に推進するよう努めるものとする。

② 図書館は、前項の活動の実施に当たっては、図書館相互の連携のみならず、国立国会図書館、地方公共団体の議会に附置する図書室、学校図書館及び大学図書館等の図書施設、学校、博物館及び公民館等の社会教育施設、関係行政機関並びに民間の調査研究施設及び民間団体等との連携にも努めるものとする。

〔5〕著作権等の権利の保護

図書館は、その運営に当たって、職員や利用者が著作権法（昭和45年法律第48号）その他の法令に規定する権利を侵害することのないよう努めるものとする。

〔6〕危機管理

① 図書館は、事故、災害その他非常の事態による被害を防止するため、当該図書館の特性を考慮しつつ、想定される事態に係る危機管理に関する手引書の作成、関係機関と連携した危機管理に関する訓練の定期的な実施その他の十分な措置を講じるものとする。

② 図書館は、利用者の安全の確保のため、防災上及び衛生上必要な設備を備えるものとする。

第2　公立図書館

〔1〕市町村立図書館

1　管理運営

(1) 基本的運営方針及び事業計画

① 市町村立図書館は、その設置の目的を踏まえ、社会の変化や地域の実情に応じ、当該図書館の事業の実施等に関する基本的な運営の方針（以下「基本的運営方針」という。）を策定し、公表するよう努めるものとする。

② 市町村立図書館は、基本的運営方針を踏まえ、図書館サービスその他図書館の運営に関する適切な指標を選定し、これらに係る目標を設定するとともに、事業年度ごとに、当該事業年度の事業計画を策定

し、公表するよう努めるものとする。

③　市町村立図書館は、基本的運営方針並びに前項の指標、目標及び事業計画の策定に当たっては、利用者及び住民の要望並びに社会の要請に十分留意するものとする。

（2）運営の状況に関する点検及び評価等

①　市町村立図書館は、基本的運営方針に基づいた運営がなされることを確保し、その事業の水準の向上を図るため、各年度の図書館サービスその他図書館の運営の状況について、（1）の2の目標及び事業計画の達成状況等に関し自ら点検及び評価を行うよう努めなければならない。

②　市町村立図書館は、前項の点検及び評価のほか、当該図書館の運営体制の整備の状況に応じ、図書館協議会（法第14条第1項に規定する図書館協議会をいう。以下同じ。）の活用その他の方法により、学校教育又は社会教育の関係者、家庭教育の向上に資する活動を行う者、図書館の事業に関して学識経験のある者、図書館の利用者、住民その他の関係者・第三者による評価を行うよう努めるものとする。

③　市町村立図書館は、前2項の点検及び評価の結果に基づき、当該図書館の運営の改善を図るため必要な措置を講ずるよう努めなければならない。

④　市町村立図書館は、第1項及び第2項の点検及び評価の結果並びに前項の措置の内容について、インターネットその他の高度情報通信ネットワーク（以下「インターネット等」という。）をはじめとした多様な媒体を活用すること等により、積極的に公表するよう努めなければならない。

（3）広報活動及び情報公開

市町村立図書館は、当該図書館に対する住民の理解と関心を高め、利用者の拡大を図るため、広報紙等の定期的な刊行やインターネット等を活用した情報発信等、積極的かつ計画的な広報活動及び情報公開に努めるものとする。

（4）開館日時等

市町村立図書館は、利用者及び住民の利用を促進するため、開館日・開館時間の設定に当たっては、地域の実情や利用者及び住民の多様な生活時間等に配慮するものとする。また、移動図書館を運行する場合は、適切な周期による運行等に努めるものとする。

（5）図書館協議会

①　市町村教育委員会は、図書館協議会を設置し、地域の実情を踏まえ、利用者及び住民の要望を十分に反映した図書館の運営がなされるよう努めるものとする。

②　図書館協議会の委員には、法第16条の規定により条例で定める委員の任命の基準に従いつつ、地域の実情に応じ、多様な人材の参画を得るよう努めるものとする。

（6）施設・設備

①　市町村立図書館は、この基準に示す図書館サービスの水準を達成するため、図書館資料の開架・閲覧、保存、視聴覚資料の視聴、情報の検索・レファレンスサービス、集会・展示、事務管理等に必要な施設・設備を確保するよう努めるものとする。

②　市町村立図書館は、高齢者、障害者、乳幼児とその保護者及び外国人その他特に配慮を必要とする者が図書館施設を円滑に利用できるよう、傾斜路や対面朗読室等の施設の整備、拡大読書器等資料の利用に必要な機器の整備、点字及び外国語による表示の充実等に努めるとともに、児童・青少年の利用を促進するため、専用スペースの確保等に努めるものとする。

2　図書館資料

（1）図書館資料の収集等

①　市町村立図書館は、利用者及び住民の要望、社会の要請並びに地域の実情に十分留意しつつ、図書館資料の収集に関する方針を定め、公表するよう努めるものとする。

②　市町村立図書館は、前項の方針を踏まえ、充実した図書館サービスを実施する上で必要となる十分な量の図書館資料を計画的に整備するよう努めるものとする。その際、郷土資料及び地方行政資料、新聞の全国紙及び主要な地方紙並びに視聴覚資料等多様な資料の整備にも努めるものとする。また、郷土資料及び地方行政資料の電子化に努めるものとする。

（2）図書館資料の組織化

市町村立図書館は、利用者の利便性の向上を図るため、図書館資料の分類、配架、目録・索引の整備等による組織化に十分配慮するとともに、書誌データの整備に努めるものとする。

3　図書館サービス

（1）貸出サービス等

市町村立図書館は、貸出サービスの充実を図るとともに、予約制度や複写サービス等の運用により利用者の多様な資料要求に的確に応えるよう努めるものとする。

（2）情報サービス

①　市町村立図書館は、インターネット等や商用データベース等の活用にも留意しつつ、利用者の求めに応じ、資料の提供・紹介及び情報の提示等を行うレファレンスサービスの充実・高度化に努めるものとする。

②　市町村立図書館は、図書館の利用案内、テーマ別の資料案内、資料検索システムの供用等のサービスの充実に努めるものとする。

③　市町村立図書館は、利用者がインターネット等の利用により外部の情報にアクセスできる環境の提供、利用者の求めに応じ、求める資料・情報にアクセスできる地域内外の機関等を紹介するレフェラルサービスの実施に努めるものとする。

（3）地域の課題に対応したサービス

市町村立図書館は、利用者及び住民の生活や仕事に関する課題や地域の課題の解決に向けた活動を支援するため、利用者及び住民の要望並びに地域の実情を踏まえ、次に掲げる事項その他のサービスの実施に努めるものとする。

ア　就職・転職、起業、職業能力開発、日常の仕事等に関する資料及び情報の整備・提供

イ　子育て、教育、若者の自立支援、健康・医療、福祉、法律・司法手続等に関する資料及び情報の整備・提供

ウ　地方公共団体の政策決定、行政事務の執行・改善及びこれらに関する理解に必要な資料及び情報の整備・提供

（4）利用者に対応したサービス

市町村立図書館は、多様な利用者及び住民の利用を促進するため、関係機関・団体と連携を図りながら、次に掲げる事項その他のサービスの充実に努めるものとする。

ア　（児童・青少年に対するサービス）　児童・青少年用図書の整備・提供、児童・青少年の読書活動を促進するための読み聞かせ等の実施、その保護者等を対象とした講座・展示会の実施、学校等の教育施設等との連携

イ （高齢者に対するサービス）大活字本、録音資料等の整備・提供、図書館利用の際の介助、図書館資料等の代読サービスの実施

ウ （障害者に対するサービス）点字資料、大活字本、録音資料、手話や字幕入りの映像資料等の整備・提供、手話・筆談等によるコミュニケーションの確保、図書館利用の際の介助、図書館資料等の代読サービスの実施

エ （乳幼児とその保護者に対するサービス）乳幼児向けの図書及び関連する資料・情報の整備・提供、読み聞かせの支援、講座・展示会の実施、託児サービスの実施

オ （外国人等に対するサービス）外国語による利用案内の作成・頒布、外国語資料や各国事情に関する資料の整備・提供

カ （図書館への来館が困難な者に対するサービス）宅配サービスの実施

（5）多様な学習機会の提供

① 市町村立図書館は、利用者及び住民の自主的・自発的な学習活動を支援するため、講座、相談会、資料展示会等を主催し、又は関係行政機関、学校、他の社会教育施設、民間の関係団体等と共催して多様な学習機会の提供に努めるとともに、学習活動のための施設・設備の供用、資料の提供等を通じ、その活動環境の整備に努めるものとする。

② 市町村立図書館は、利用者及び住民の情報活用能力の向上を支援するため、必要な学習機会の提供に努めるものとする。

（6）ボランティア活動等の促進

① 市町村立図書館は、図書館におけるボランティア活動が、住民等が学習の成果を活用する場であるとともに、図書館サービスの充実にも資するものであることにかんがみ、読み聞かせ、代読サービス等の多様なボランティア活動等の機会や場所を提供するよう努めるものとする。

② 市町村立図書館は、前項の活動への参加を希望する者に対し、当該活動の機会や場所に関する情報の提供や当該活動を円滑に行うための研修等を実施するよう努めるものとする。

4　職員

（1）職員の配置等

① 市町村教育委員会は、市町村立図書館の館長として、その職責にかんがみ、図書館サービスその他の図書館の運営及び行政に必要な知識・経験とともに、司書となる資格を有する者を任命することが望ましい。

② 市町村教育委員会は、市町村立図書館が専門的なサービスを実施するために必要な数の司書及び司書補を確保するよう、その積極的な採用及び処遇改善に努めるとともに、これら職員の職務の重要性にかんがみ、その資質・能力の向上を図る観点から、第1の〔4〕の2に規定する関係機関等との計画的な人事交流（複数の市町村又は都道府県の機関等との広域的な人事交流を含む。）に努めるものとする。

③ 市町村立図書館には、前項の司書及び司書補のほか、必要な数の職員を置くものとする。

④ 市町村立図書館は、専門的分野に係る図書館サービスの充実を図るため、必要に応じ、外部の専門的知識・技術を有する者の協力を得るよう努めるものとする。

（2）職員の研修

① 市町村立図書館は、司書及び司書補その他の職員の資質・能力の向上を図るため、情報化・国際化の進展等に留意しつつ、これらの職員に対する継続的・計画的な研修の実施等に努めるものとする。

② 市町村教育委員会は、市町村立図書館の館長その他の職員の資質・能力の向上を図るため、各種研修機会の拡充に努めるとともに、文部科学大臣及び都道府県教育委員会等が主催する研修その他必要な研修にこれら職員を参加させるよう努めるものとする。

〔2〕都道府県立図書館

1　域内の図書館への支援

① 都道府県立図書館は、次に掲げる事項について、当該都道府県内の図書館の求めに応じて、それらの図書館への支援に努めるものとする。

ア　資料の紹介、提供に関すること

イ　情報サービスに関すること

ウ　図書館資料の保存に関すること

エ　郷土資料及び地方行政資料の電子化に関すること

オ　図書館の職員の研修に関すること

カ　その他図書館運営に関すること

② 都道府県立図書館は、当該都道府県内の図書館の状況に応じ、それらの図書館との間における情報通信技術を活用した情報の円滑な流通や、それらの図書館への資料の貸出のための円滑な搬送の確保に努めるものとする。

③ 都道府県立図書館は、当該都道府県内の図書館の相互協力の促進等に資するため、当該都道府県内の図書館で構成する団体等を活用して、図書館間の連絡調整の推進に努めるものとする。

2　施設・設備

都道府県立図書館は、第2の〔2〕の6により準用する第2の〔1〕の1の（6）に定める施設・設備のほか、次に掲げる機能に必要な施設・設備の確保に努めるものとする。

ア　研修

イ　調査研究

ウ　市町村立図書館の求めに応じた資料保存等

3　調査研究

都道府県立図書館は、図書館サービスを効果的・効率的に行うための調査研究に努めるものとする。その際、特に、図書館に対する利用者及び住民の要望、図書館運営にかかわる地域の諸条件、利用者及び住民の利用促進に向けた新たなサービス等に関する調査研究に努めるものとする。

4　図書館資料

都道府県立図書館は、第2の〔2〕の6により準用する第2の〔1〕の2に定める事項のほか、次に掲げる事項の実施に努めるものとする。

ア　市町村立図書館等の要求に十分に応えるための資料の整備

イ　高度化・多様化する図書館サービスへの要請に対応するための、郷土資料その他の特定分野に関する資料の目録・索引等の整備及び配布

5　職員

① 都道府県教育委員会は、都道府県立図書館において第2の〔2〕の6により準用する第2の〔1〕の4の（1）に定める職員のほか、第2の〔2〕の1、3及び4に掲げる機能を果たすために必要な職員を

確保するよう努めるものとする。

② 都道府県教育委員会は、当該都道府県内の図書館の職員の資質・能力の向上を図るため、それらの職員を対象に、必要な研修を行うよう努めるものとする。

6 準用

第2の〔1〕に定める市町村立図書館に係る基準は、都道府県立図書館に準用する。

第3　私立図書館

〔1〕管理運営

1 運営の状況に関する点検及び評価等

① 私立図書館は、その運営が適切に行われるよう、図書館サービスその他図書館の運営に関する適切な指標を選定し、これらに係る目標を設定した上で、その目標の達成状況等に関し自ら点検及び評価を行うよう努めるものとする。

② 私立図書館は、前項の点検及び評価のほか、当該図書館の運営体制の整備の状況に応じ、図書館の事業に関して学識経験のある者、当該図書館の利用者その他の関係者・第三者による評価を行うことが望ましい。

③ 私立図書館は、前二項の点検及び評価の結果に基づき、当該図書館の運営の改善を図るため必要な措置を講ずるよう努めるものとする。

④ 私立図書館は、第一項及び第二項の点検及び評価の結果並びに前項の措置の内容について、積極的に公表するよう努めるものとする。

2 広報活動及び情報公開

私立図書館は、積極的かつ計画的な広報活動及び情報公開を行うことが望ましい。

3 開館日時

私立図書館は、開館日・開館時間の設定に当たっては、多様な利用者に配慮することが望ましい。

4 施設・設備

私立図書館は、その設置の目的に基づく図書館サービスの水準を達成するため、多様な利用者に配慮しつつ、必要な施設・設備を確保することが望ましい。

〔2〕図書館資料

私立図書館は、当該図書館が対象とする専門分野に応じて、図書館資料を計画的かつ継続的に収集・組織化・保存し、利用に供することが望ましい。

〔3〕図書館サービス

私立図書館は、当該図書館における資料及び情報の整備状況、多様な利用者の要望等に配慮して、閲覧・貸出・レファレンスサービス等のサービスを適切に提供することが望ましい。

〔4〕職員

① 私立図書館には、専門的なサービスを実施するために必要な数の司書及び司書補その他職員を置くことが望ましい。

②　私立図書館は、その職員の資質・能力の向上を図るため、当該職員に対する研修の機会を確保すること
　が望ましい。

学校図書館法

（昭和 28 年 8 月 8 日法律第 185 号）

最終改正：平成 27 年 6 月 24 日法律第 46 号

（この法律の目的）

第1条 この法律は、学校図書館が、学校教育において欠くことのできない基礎的な設備であることにかんがみ、その健全な発達を図り、もつて学校教育を充実することを目的とする。

（定義）

第2条 この法律において「学校図書館」とは、小学校（義務教育学校の前期課程及び特別支援学校の小学部を含む。）、中学校（義務教育学校の後期課程、中等教育学校の前期課程及び特別支援学校の中学部を含む。）及び高等学校（中等教育学校の後期課程及び特別支援学校の高等部を含む。）（以下「学校」という。）において、図書、視覚聴覚教育の資料その他学校教育に必要な資料（以下「図書館資料」という。）を収集し、整理し、及び保存し、これを児童又は生徒及び教員の利用に供することによつて、学校の教育課程の展開に寄与するとともに、児童又は生徒の健全な教養を育成することを目的として設けられる学校の設備をいう。

（設置義務）

第3条 学校には、学校図書館を設けなければならない。

（学校図書館の運営）

第4条 学校は、おおむね左の各号に掲げるような方法によつて、学校図書館を児童又は生徒及び教員の利用に供するものとする。

　1）図書館資料を収集し、児童又は生徒及び教員の利用に供すること。

　2）図書館資料の分類排列を適切にし、及びその目録を整備すること。

　3）読書会、研究会、鑑賞会、映写会、資料展示会等を行うこと。

　4）図書館資料の利用その他学校図書館の利用に関し、児童又は生徒に対し指導を行うこと。

　5）他の学校の学校図書館、図書館、博物館、公民館等と緊密に連絡し、及び協力すること。

　2　学校図書館は、その目的を達成するのに支障のない限度において、一般公衆に利用させることができる。

（司書教諭）

第5条 学校には、学校図書館の専門的職務を掌らせるため、司書教諭を置かなければならない。

　2　前項の司書教諭は、主幹教諭（養護又は栄養の指導及び管理をつかさどる主幹教諭を除く。）、指導教諭又は教諭（以下この項において「主幹教諭等」という。）をもつて充てる。この場合において、当該主幹教諭等は、司書教諭の講習を修了した者でなければならない。

3 　前項に規定する司書教諭の講習は、大学その他の教育機関が文部科学大臣の委嘱を受けて行う。

4 　前項に規定するものを除くほか、司書教諭の講習に関し、履修すべき科目及び単位その他必要な事項は、文部科学省令で定める。

（学校司書）

第6条 　学校には、前条第1項の司書教諭のほか、学校図書館の運営の改善及び向上を図り、児童又は生徒及び教員による学校図書館の利用の一層の促進に資するため、専ら学校図書館の職務に従事する職員（次項において「学校司書」という。）を置くよう努めなければならない。

2 　国及び地方公共団体は、学校司書の資質の向上を図るため、研修の実施その他の必要な措置を講ずるよう努めなければならない。

（設置者の任務）

第7条 　学校の設置者は、この法律の目的が十分に達成されるようその設置する学校の学校図書館を整備し、及び充実を図ることに努めなければならない。

（国の任務）

第8条 　国は、第6条第2項に規定するもののほか、学校図書館を整備し、及びその充実を図るため、次の各号に掲げる事項の実施に努めなければならない。

1 ）学校図書館の整備及び充実並びに司書教諭の養成に関する総合的計画を樹立すること。

2 ）学校図書館の設置及び運営に関し、専門的、技術的な指導及び勧告を与えること。

3 ）前2号に掲げるもののほか、学校図書館の整備及び充実のため必要と認められる措置を講ずること。

附　則　抄

（司書教諭の設置の特例）

2 　学校には、平成15年3月31日までの間（政令で定める規模以下の学校にあつては、当分の間）、第5条第1項の規定にかかわらず、司書教諭を置かないことができる。

（＊　附則の一部を省略しました。）

附　則　（平成26年6月27日法律第93号）

（検討）

2 　国は、学校司書（この法律による改正後の学校図書館法（以下この項において「新法」という。）第6条第1項に規定する学校司書をいう。以下この項において同じ。）の職務の内容が専門的知識及び技能を必要とするものであることに鑑み、この法律の施行後速やかに、新法の施行の状況等を勘案し、学校司書としての資格の在り方、その養成の在り方等について検討を行い、その結果に基づいて必要な措置を講ずるものとする。

（＊　附則の一部を省略しました。）

図書館員の倫理綱領

日本図書館協会

1980年6月4日 総会決議

　この倫理綱領は、「図書館の自由に関する宣言」によって示された図書館の社会的責任を自覚し、自らの職責を遂行していくための図書館員としての自律的規範である。

1.　この綱領は、「図書館の自由に関する宣言」と表裏一体の関係にある。この宣言に示された図書館の社会的責任を日常の図書館活動において果たしていくのは、職業集団としての内容の充実によらなければならない。この綱領は、その内容の充実を目標とし、図書館員としての職責を明らかにすることによって、自らの姿勢をただすための自律的規範である。したがってこの綱領は、単なる徳目の列挙や権利の主張を目的とするものでなく、すべての館種に共通な図書館員のあり方を考え、共通な基盤を拡大することによって、図書館を社会の有用な機関たらしめようという、前向きでしかも活動的なものである。

　　この綱領でいう図書館員とは、図書館に働くすべての職員のことである。綱領の各条項の具体化に当たっては、図書館長の理解とすぐれた指導力が不可欠である。

2.　綱領の内容はこれまでの図書館活動の実践の中から生まれたものである。それを倫理綱領という形にまとめたのは、今や個人の献身や一館の努力だけでは図書館本来の役割を果たすことができず、図書館員という職業集団の総合的な努力が必要となり、かつ図書館員のあるべき姿を、図書館員と利用者と、図書館を設置する機関または団体との三者が、共に考えるべき段階に立ち至ったからである。

3.　この綱領は、われわれの図書館員としての自覚の上に成立する。したがってその自覚以外にはいかなる拘束力もない。しかしながら、これを公表することによって、われわれの共通の目的と努力、さらにひとつの職業集団としての判断と行動とを社会に誓約することになる。その結果、われわれはまず図書館に大きな期待を持つ人びとから、ついで社会全体からのきびしい批判に自らをさらすことになる。

　　この批判の下での努力こそが、図書館員という職業集団への信頼を生む。図書館員の専門性は、この信頼によってまず利用者に支えられ、さらに司書職制度という形で確認され、充実されねばならない。そしてその専門性がもたらす図書館奉仕の向上は、すべて社会に還元される。そうした方向へわれわれ図書館員全体が進む第一歩がこの倫理綱領の制定である。

4.　この綱領は、すべての図書館員が館種、館内の地位、職種及び司書資格の有無にかかわらず、綱領を通して図書館の役割を理解し、綱領実現への努力に積極的に参加することを期待している。さらに、図書館に働くボランティアや図書館同種施設に働く人びとと、地域文庫にかかわる人びと等による理解をも望んでいる。

5.　綱領の構成は、図書館員個人の倫理規定にはじまり、組織体の一員としての図書館員の任務を考え、ついで図書館間および図書館以外の人びととの協力に及び、ひろく社会における図書館員の果たすべき任務に

至っている。

第1　図書館員は、社会の期待と利用者の要求を基本的なよりどころとして職務を遂行 する。

　図書館は社会の期待と利用者の要求の上に成立する。そして、ここから国民の知る自由の保障という図書館の目的も、またすべての国民への資料提供という基本機能も導き出される。したがって、図書館へのあらゆる期待と要求とを的確に把握し、分析し、かつ予測して、期待にこたえ、要求を実現するように努力することこそ、図書館員の基本的な態度である。

（利用者に対する責任）

第2　図書館員は利用者を差別しない。

　国民の図書館を利用する権利は平等である。図書館員は、常に自由で公正で積極的な資料提供に心がけ、利用者をその国籍、信条、性別、年齢等によって差別してはならないし、図書館に対するさまざまな圧力や干渉によって利用者を差別してはならない。また、これまでサービスを受けられなかった人びとに対しても、平等なサービスがゆきわたるように努力すべきである。

第3　図書館員は利用者の秘密を漏らさない。

　図書館員は、国民の読書の自由を保障するために、資料や施設の提供を通じて知りえた利用者の個人名や資料名等をさまざまな圧力や干渉に屈して明かしたり、または不注意に漏らすなど、利用者のプライバシーを侵す行為をしてはならない。このことは、図書館活動に従事するすべての人びとに課せられた責務である。

（資料に関する責任）

第4　図書館員は図書館の自由を守り、資料 の収集、保存および提供につとめる。

　図書館員は、専門的知識と的確な判断とに基づいて資料を収集し、組織し、保存し、積極的に提供する。そのためには、資料の収集・提供の自由を侵すいかなる圧力・検閲をも受け入れてはならないし、個人的な関心や好みによる資料の収集・提供をしてはならない。図書館員は、私的報酬や個人的利益を求めて、資料の収集・提供を行ってはならない。

第5　図書館員は常に資料を知ることにつとめる。

　資料のひとつひとつについて知るということは決して容易ではないが、図書館員は常に資料を知る努力を怠ってはならない。資料についての十分な知識は、これまでにも図書館員に対する最も大きな期待のひとつであった。図書館に対する要求が飛躍的に増大している今日、この期待もいちだんと高まっていることを忘れてはならない。さらに、この知識を前提としてはじめて、潜在要求をふくむすべての要求に対応し、資料の収集・提供活動ができることを自覚すべきである。

（研修につとめる責任）

第6　図書館員は個人的、集団的に、不断の 研修につとめる。

　図書館員が専門性の要求をみたすためには、（1）利用者を知り、（2）資料を知り、（3）利用者と資料を

結びつけるための資料の適切な組織化と提供の知識・技術を究明しなければならない。そのためには、個人的、集団的に日常不断の研修が必要であり、これらの研修の成果が、図書館活動全体を発展させる専門知識として集積されていくのである。その意味で、研修は図書館員の義務であり権利である。したがって図書館員は、自主的研修にはげむと共に研修条件の改善に努力し、制度としての研修を確立するようつとめるべきである。

（組織体の一員として）
第7　図書館員は、自館の運営方針や奉仕計　画の策定に積極的に参画する。

　個々の図書館員が積極的な姿勢をもたなければ、図書館は適切・円滑に運営することができない。図書館員は、その図書館の設置目的と利用者の要求を理解し、全員が運営方針や奉仕計画等を十分理解していなければならない。そのためには、図書館員は計画等の策定にたえず関心をもち、積極的に参加するようつとめるべきである。

第8　図書館員は、相互の協力を密にして、集団としての専門的能力の向上につとめる。

　図書館がその機能を十分に果たすためには、ひとりの図書館員の力だけでなく、職員集団としての力が発揮されなければならない。このためには、図書館員は同一職種内の協調と共に、他職種の役割をも正しく理解し、さらに、地域および全国規模の図書館団体に結集して図書館に働くすべての職員の協力のもとに、それぞれの専門的知識と経験を総合する必要がある。図書館員の専門性は、現場での実践経験と不断の研修及び職員集団の協力によって高められのであるから、図書館員は、経験の累積と専門知識の定着が、頻繁すぎる人事異動や不当配転等によって妨げられないようつとめるべきである。

第9　図書館員は、図書館奉仕のため適正な労働条件の確保につとめる。

　組織体の一員として図書館員の自覚がいかに高くても、劣悪な労働条件のもとでは、利用者の要求にこたえる十分な活動ができないばかりか、図書館員の健康そのものをも維持しがたい。適正数の職員配置をはじめ、労働災害や職業病の防止、婦人図書館員の母性保護等、適切な図書館奉仕が可能な労働条件を確保し、働きやすい職場づくりにつとめる必要がある。　図書館員は図書館奉仕の向上のため、図書館における労働の独自性について自ら追求すべきである。

（図書館間の協力）
第10　図書館員は図書館間の理解と協力につとめる。

　図書館が本来の目的を達成するためには、一館独自の働きだけでなく、組織的に活動する必要がある。各図書館は館種・地域・設置者の別をこえ、理解と協力につとめるべきである。図書館員はこのことをすべて制度上の問題に帰するのでなく、自らの職業上の姿勢としてとらえなければならない。図書館間の相互協力は、自館における十分な努力が前提となることを忘れてはならない。

（文化の創造への寄与）
第11　図書館員は住民や他団体とも協力して、社会の文化環境の醸成につとめる。

　図書館は孤立した存在であってはならない。地域社会に対する図書館の協力は、健康で民主的な文化環境を

生み出す上に欠くことができない。他方、この文化環境によって図書館の本来の機能は著しい発達をうながされる。図書館員は住民の自主的な読書運動や文庫活動等をよく理解し、図書館の増設やサービス改善を求める要求や批判に、謙虚かつ積極的にこたえなければならない。さらに、地域の教育・社会・文化諸機関や団体とも連携を保ちながら、地域文化の向上に寄与すべきである。

第12　図書館員は、読者の立場に立って出版文化の発展に寄与するようつとめる。

　出版の自由は、単に資料・情報の送り手の自由を意味するのではなく、より根本的に受け手の知る自由に根ざしている。この意味で図書館は、読者の立場に立って、出版物の生産・流通の問題に積極的に対処する社会的役割と責任を持つ。また図書館員は、「図書館の自由に関する宣言」の堅持が、出版・新聞放送等の分野における表現の自由を守る活動と深い関係を持つことを自覚し、常に読者の立場に立ってこれら関連分野との協力につとめるべきである。

　日本図書館協会は、わが国の図書館の現状にかんがみこの倫理綱領を作成し、提唱する。本協会はこの綱領の維持発展につとめると共に、この綱領と相いれない事態に対しては、その改善に向って不断に努力する。

付録 6

図書館法施行規則

（昭和 25 年文部省令第 27 号）

最終改正：令和 2 年 9 月 25 日文部科学省令第 32 号

第 1 章　図書館に関する科目

第 1 条　図書館法（昭和 25 年法律第 118 号。以下「法」という。）第 5 条第 1 項第 1 号 に規定する図書館に関する科目は、次の表に掲げるものとし、司書となる資格を得ようとする者は、甲群に掲げるすべての科目及び乙群に掲げる科目のうち 2 以上の科目について、それぞれ単位数の欄に掲げる単位を修得しなければならない。

群	科　目	単位数
甲群	生涯学習概論	2
	図書館概論	2
	図書館制度・経営論	2
	図書館情報技術論	2
	図書館サービス概論	2
	情報サービス論	2
	児童サービス論	2
	情報サービス演習	2
	図書館情報資源概論	2
	情報資源組織論	2
	情報資源組織演習	2
乙群	図書館基礎特論	1
	図書館サービス特論	1
	図書館情報資源特論	1
	図書・図書館史	1
	図書館施設論	1
	図書館総合演習	1
	図書館実習	1

　2　前項の規定により修得すべき科目の単位のうち、すでに大学において修得した科目の単位は、これをもつて、前項の規定により修得すべき科目の単位に替えることができる。

第2章 司書及び司書補の講習

（趣旨）

第2条 法第6条に規定する司書及び司書補の講習については、この章の定めるところによる。

（司書の講習の受講資格者）

第3条 司書の講習を受けることができる者は、次の各号のいずれかに該当するものとする。

1）大学に2年以上在学して、62単位以上を修得した者又は高等専門学校若しくは法附則第10項の規定により大学に含まれる学校を卒業した者

2）法第5条第1項第3号イからハまでに掲げる職にあつた期間が通算して2年以上になる者

3）法附則第8項の規定に該当する者

4）その他文部科学大臣が前3号に掲げる者と同等以上の資格を有すると認めた者

（司書補の講習の受講資格者）

第4条 司書補の講習を受けることができる者は、学校教育法（昭和22年法律第26号）第90条第1項の規定により大学に入学することのできる者（法附則第10項の規定により大学に入学することのできる者に含まれる者を含む。）とする。

（司書の講習の科目の単位）

第5条 司書の講習において司書となる資格を得ようとする者は、次の表の甲群に掲げるすべての科目及び乙群に掲げる科目のうち2以上の科目について、それぞれ単位数の欄に掲げる単位を修得しなければならない。

群	科　目	単位数
甲群	生涯学習概論	2
	図書館概論	2
	図書館制度・経営論	2
	図書館情報技術論	2
	図書館サービス概論	2
	情報サービス論	2
	児童サービス論	2
	情報サービス演習	2
	図書館情報資源概論	2
	情報資源組織論	2
	情報資源組織演習	2
乙群	図書館基礎特論	1
	図書館サービス特論	1
	図書館情報資源特論	1
	図書・図書館史	1
	図書館施設論	1
	図書館総合演習	1
	図書館実習	1

2　司書の講習を受ける者がすでに大学（法附則第10項の規定により大学に含まれる学校を含む。）にお

いて修得した科目の単位であつて、前項の科目の単位に相当するものとして文部科学大臣が認めたものは、これをもつて前項の規定により修得した科目の単位とみなす。

3　司書の講習を受ける者がすでに文部科学大臣が別に定める学修で第1項に規定する科目の履修に相当するものを修了していると文部科学大臣が認めた場合には、当該学修をもつてこれに相当する科目の単位を修得したものとみなす。

（司書補の講習の科目の単位）

第6条　司書補の講習において司書補となる資格を得ようとする者は、次の表に掲げるすべての科目について、それぞれ単位数の欄に掲げる単位を修得しなければならない。

科　目	単位数
生涯学習概論	1
図書館の基礎	2
図書館サービスの基礎	2
レファレンスサービス	1
レファレンス資料の解題	1
情報検索サービス	1
図書館の資料	2
資料の整理	2
資料の整理演習	1
児童サービスの基礎	1
図書館特講	1

2　司書補の講習を受ける者がすでに大学（法附則第10項の規定により大学に含まれる学校を含む。）において修得した科目の単位であつて、前項の科目の単位に相当するものとして文部科学大臣が認めたものは、これをもつて前項の規定により修得した科目の単位とみなす。

3　司書補の講習を受ける者がすでに文部科学大臣が別に定める学修で第1項に規定する科目の履修に相当するものを修了していると文部科学大臣が認めた場合には、当該学修をもつてこれに相当する科目の単位を修得したものとみなす。

（単位の計算方法）

第7条　講習における単位の計算方法は、大学設置基準（昭和31年文部省令第28号）第21条第2項各号及び大学通信教育設置基準（昭和56年文部省令第33号）第5条第1項第3号に定める基準によるものとする。

（単位修得の認定）

第8条　単位修得の認定は、講習を行う大学が、試験、論文、報告書その他による成績審査に合格した受講者に対して行う。

（修了証書の授与）

第9条　講習を行う大学の長は、第5条又は第6条の規定により、司書の講習又は司書補の講習について、所定の単位を修得した者に対して、それぞれの修了証書を与えるものとする。

2　講習を行う大学の長は、前項の規定により修了証書を与えたときは、修了者の氏名等を文部科学大臣に報告しなければならない。

（講習の委嘱）

第10条　法第5条第1項第1号の規定により文部科学大臣が大学に講習を委嘱する場合には、その職員組織、施設及び設備の状況等を勘案し、講習を委嘱するのに適当と認められるものについて、講習の科目、期間その他必要な事項を指定して行うものとする。

（実施細目）

第11条　受講者の人数、選定の方法、講習を行う大学、講習の期間その他講習実施の細目については、毎年インターネットの利用その他の適切な方法により公示する。

第3章　図書館協議会の委員の任命の基準を条例で定めるに当たつて参酌すべき基準

第12条　法第16条の文部科学省令で定める基準は、学校教育及び社会教育の関係者、家庭教育の向上に資する活動を行う者並びに学識経験のある者の中から任命することとする。

第4章　準ずる学校

（大学に準ずる学校）

第13条　法附則第10項の規定による大学に準ずる学校は、次の各号に掲げるものとする。

　　1）大正7年旧文部省令第3号第2条第2号により指定した学校

　　2）その他文部科学大臣が大学と同等以上と認めた学校

（高等学校に準ずる学校）

第14条　法附則第10項の規定による中等学校、高等学校尋常科又は青年学校本科に準ずる学校は、次の各号に掲げるものとする。

　　1）旧専門学校入学者検定規程（大正12年文部省令第22号）第11条の規定により指定した学校

　　2）大正7年旧文部省令第3号第1条第5号により指定した学校

　　3）その他文部科学大臣が高等学校と同等以上と認めた学校

附　則（平成21年4月30日文部科学省令第21号）

　1　この省令は、平成22年4月1日から施行する。ただし、第4条第1項の表及び第3項を改正する規定、第5条第2項を改正する規定及び同条に第3項を追加する規定並びに附則第5項から第11項までの規定は平成24年4月1日から施行する。

　2　平成22年4月1日から平成24年3月31日までの改正後の図書館法施行規則（以下「新規則」という。）第1条及び第5条の適用については、これらの規定中「

群	科　目	単位数
甲群	生涯学習概論	2
	図書館概論	2
	図書館制度・経営論	2
	図書館情報技術論	2
	図書館サービス概論	2
	情報サービス論	2
	児童サービス論	2

乙群		
	情報サービス演習	2
	図書館情報資源概論	2
	情報資源組織論	2
	情報資源組織演習	2
乙群	図書館基礎特論	1
	図書館サービス特論	1
	図書館情報資源特論	1
	図書・図書館史	1
	図書館施設論	1
	図書館総合演習	1
	図書館実習	1

」とあるのは、「

群	科　目	単位数
甲群	生涯学習概論	1
	図書館概論	2
	図書館経営論	1
	図書館サービス論	2
	情報サービス概説	2
	児童サービス論	1
	レファレンスサービス演習	1
	情報検索演習	1
	図書館資料論	2
	専門資料論	1
	資料組織概説	2
	資料組織演習	2
乙群	図書及び図書館史	1
	資料特論	1
	コミュニケーション論	1
	情報機器論	1
	図書館特論	1

」とする。

3　平成22年4月1日前に、社会教育法等の一部を改正する法律（平成20年法律第59号）第2条の規定による改正前の図書館法（第10項において「旧法」という。）第5条第1項第2号に規定する図書館に関する科目を修得した者は、当該科目に相当する前項の規定により読み替えて適用される新規則第1条第1項に規定する図書館に関する科目（以下「経過科目」という。）の単位を修得したものとみなす。

4　平成22年4月1日から平成24年3月31日までに、経過科目（前項の規定により修得したものとみなされた科目を含む。以下同じ。）の単位のうち、司書となる資格に必要なすべての単位を修得した

者は、平成24年4月1日以後は、新規則第1条第1項に規定する図書館に関する科目（以下「新科目」という。）の単位のうち、司書となる資格に必要なすべての単位を修得したものとみなす。

5　平成24年4月1日前から引き続き大学に在学し、当該大学を卒業するまでに経過科目の単位のうち、司書となる資格に必要なすべての単位を修得した者は、新科目の単位のうち、司書となる資格に必要なすべての単位を修得したものとみなす。

6　平成24年4月1日前から引き続き大学に在学し、当該大学を卒業するまでに次の表中新科目の欄に掲げる科目の単位を修得した者は、当該科目に相当する経過科目の欄に掲げる科目の単位を修得したものとみなす。ただし、平成24年4月1日前に経過科目の「専門資料論」の単位を修得した者であつて、新科目の「図書館情報資源特論」を修得した者はこの限りでない。

新科目	単位数	経過科目	単位数
生涯学習概論	2	生涯学習概論	1
図書館概論	2	図書館概論	2
図書館制度・経営論	2	図書館経営論	1
図書館サービス概論	2	図書館サービス論	2
情報サービス論	2	情報サービス概説	2
児童サービス論	2	児童サービス論	1
情報サービス演習	2	レファレンスサービス演習	1
		情報検索演習	1
図書館情報資源概論	2	図書館資料論	2
情報資源組織論	2	資料組織概説	2
情報資源組織演習	2	資料組織演習	2
図書館情報資源特論	1	専門資料論	1

7　平成24年4月1日前から引き続き大学に在学し、当該大学を卒業するまでに新科目の乙群の欄に掲げる科目の単位を修得した者は、経過科目の乙群の科目の単位を修得したものとみなす。

8　平成22年4月1日以後に附則第6項の表中経過科目の欄に掲げる科目の単位を修得した者が、平成24年4月1日以後に新たに司書となる資格を得ようとする場合には、既に修得した経過科目の単位は、当該科目に相当する新科目の単位とみなす。

9　平成22年4月1日以後に経過科目の乙群の欄に掲げる科目の単位を修得した者が、平成24年4月1日以後に新たに司書となる資格を得ようとする場合には、既に修得した経過科目の単位は、新科目の乙群の単位とみなす。

10　旧法第5条第1項第1号に規定する司書の講習を修了した者の司書となる資格については、なお従前の例による。

11　平成24年4月1日前にこの規則による改正前の図書館法施行規則第4条第1項に規定する司書の講習の科目の単位を修得した者については、附則第8項及び第9項の規定を準用する。

　　附　則（平成23年12月1日文部科学省令第43号）
　　この省令は、平成24年4月1日から施行する。

（＊　附則の一部を省略しました。）

参考文献

<ruby>参<rt>さん</rt>考<rt>こう</rt>文<rt>ぶん</rt>献<rt>けん</rt></ruby>

※このリストは<ruby>参照<rt>さんしょう</rt></ruby>した<ruby>時点<rt>じてん</rt></ruby>のものであり、すでに<ruby>新版<rt>しんぱん</rt></ruby>が<ruby>刊行<rt>かんこう</rt></ruby>されているものもあります。

1章　図書館の役割

- 日本図書館協会図書館ハンドブック編集委員会編『図書館ハンドブック』第6版　日本図書館協会，2005，p.3-4
- 藤野幸雄，荒岡興太郎，山本順一著『図書館情報学入門』有斐閣，1997，p.6-11, 20-42, 49-50
- 塩見昇編著『図書館概論』新訂版 日本図書館協会，2008（JLA図書館情報学テキストシリーズ2：1），p.10-17
- 植松貞夫編集／植松貞夫［ほか］共著『図書館概論』改訂 樹村房，2007（新・図書館学シリーズ1），p.6-10
- 河井弘志，宮部頼子編『図書館概論』改訂2版　教育史料出版会，2009（新編図書館学教育資料集成1），p.11-12
- 北嶋武彦著『図書館概論』新訂　東京書籍，2005（新現代図書館学講座2），p.19-24
- 高山正也／岩猿敏生／石塚栄二著『図書館概論』4版　雄山閣出版，1996（講座　図書館の理論と実際1），p.13-20
- 図書館の仕事作成委員会著『知っておきたい図書館の仕事』エルアイユー，2003，p.8-9

2章　図書館の種類と機能

- 日本図書館協会図書館ハンドブック編集委員会編『図書館ハンドブック』第6版　日本図書館協会，2005，p.2-4, 42-47, 151-163
- 塩見昇編編著『図書館概論』新訂版 日本図書館協会，2008（JLA図書館情報学テキストシリーズ2：1），p.51-54, 121-129, 141-153, 155-166, 171-181, 184-187, 197-208, 221-224
- 植松貞夫編集／植松貞夫［ほか］共著『図書館概論』改訂 樹村房，2007（新・図書館学シリーズ1），p.1-6, 35, 63-67, 71-78, 142-144
- 河井弘志，宮部頼子編『図書館概論』改訂2版　教育史料出版会，2009（新編図書館学教育資料集成1），p.43-45, 93-94, 103-105, 117-119
- 北嶋武彦著『図書館概論』新訂　東京書籍，2005（新現代図書館学講座2），p.85-92, 118-131, 134-177
- 大学図書館の仕事制作委員会編『知っておきたい大学図書館の仕事』エルアイユー，2006，p.10-15, 66-69, 74-77, 80-83, 120-121
- 小黒浩司編著『図書及び図書館史』日本図書館協会，2000（JLA図書館情報学テキストシリーズ12），p.60-127
- 小黒浩司編著『図書及び図書館史』日本図書館協会，2010（JLA図書館情報学テキストシリーズ2：12），p.87-132
- 寺田光孝　編著『図書及び図書館史』樹村房，1999（新・図書館学シリーズ12），p.156-182
- 小川徹・山口源治郎編『図書館史—近代日本篇』教育史料出版会，1998（新編図書館学教育資料集成7），p.25-26, 141-143, 150-155
- 小川徹・奥泉和久・小黒浩司著『公共図書館サービス・運動の歴史1』日本図書館協会，2006（JLA図書館実践シリーズ4），p.68-210
- 小川徹・奥泉和久・小黒浩司著『公共図書館サービス・運動の歴史2』日本図書館協会，2006（JLA図書館実践シリーズ5），p.24-142
- 藤野幸雄著『図書館史・総説』勉誠出版，1999（図書館・情報メディア双書1），p.161-171, 196-210
- 岩猿敏生著『日本図書館史概説』日外アソシエーツ，2007，p.148-237
- 東條文規著『図書館の近代』ポット出版，1999，p.14
- 奥泉和久編著『近代日本公共図書館年表1876～2005』日本図書館協会，2009，p.2-35
- 日本図書館協会編『近代日本図書館の歩み　本篇』日本図書館協会，1993，p.351-376
- NDL入門編集委員会編『国立国会図書館入門』三一書房，1998，p.14-24
- 国立国会図書館50年史編集委員会編『国立国会図書館50年のあゆみ』国立国会図書館，1998，p.8-26
- 国立国会図書館50年史編集委員会編『国立国会図書館五十年史　本篇』国立国会図書館，1999，p.3-37
- 志保田務，北克一，山本順一編著『学校教育と図書館』第一法規，2007，p.4-14, 16-21, 38-48, 59-68

● 坂田仰，河内祥子，黒川雅子編著；中山愛理［ほか執筆］『学校図書館の光と影』八千代出版，2007，p.13-20，21-35，37-53

● 塩見昇著『日本学校図書館史』全国学校図書館協議会，1986，p.22-28，54

● 塩見昇編『学校教育と学校図書館』新訂版　教育史料出版会，2009　（新編図書館学教育資料集成 10），p.179-181

● 日本図書館情報学会研究委員会編『学校図書館メディアセンター論の構築に向けて』勉誠出版，2005（シリーズ・図書館情報学のフロンティア no.5）

● 笠原良郎，紺野順子著『資料・情報を整備しよう』ポプラ社，2005（シリーズいま，学校図書館のやるべきこと 2）

● 専門図書館協議会出版委員会編著『専門図書館運営の現状と課題』専門図書館協議会，2002，p.79-84

● 日本図書館協会図書館白書編集委員会編集『図書館はいま－白書・日本の図書館 1997－』日本図書館協会，1997，p.117

● 毎日ムック・アミューズ編『おもしろ図書館であそぶ』毎日新聞社，2003

● 菊池佑著『病院患者図書館』出版ニュース社，2001，p.308-311

● 健康情報棚プロジェクト編『からだと病気の情報をさがす・届ける』読書工房，2005，p.110-117

● 図書館の仕事作成委員会著『知っておきたい図書館の仕事』エルアイユー，2003，p.10-11

● 大澤正雄著『公立図書館の経営』補訂版　日本図書館協会，2005（図書館員選書 21），p.25-30

● 藤田節子著『図書館活用術』新訂　日外アソシエーツ，2002，p.19-22

● 森智彦著『司書・司書教諭になるには』ぺりかん社，2002，p.54-69

● 土居陽子「学校図書館法『改正』後の学校図書館」『現代の図書館』1997.12 月 vol.35 No.4，p.199-205

● 笠原良郎「学校図書館法の改正と今後の課題」『現代の図書館』1997.12 月 vol.35 No.4，p.201-214

● 二宮博行「学図法『改正』は一歩前進か？」『現代の図書館』1997.12 月 vol.35 No.4，p.219-221

● 堀岡秀清「文部科学省の統計資料に見る学校図書館の現在－職員の状況を中心に」『図書館雑誌』2009 年 2 月 vol.103 No.2，p.81-83

● 足立正治「インターネットと資料活用－甲南高等学校・中学校の試み」『図書館雑誌』2002.2 月 vol.96 No.2，p.114-115

● 高橋清一「原点に立ち返って見直す－学校図書館と学校教育との関係について－」『図書館雑誌』1993.11 月 vol.87 No.11，p.782-785

● 国立国会図書館「国立国会図書館サーチについて」http://iss.ndl.go.jp/information/outline/（アクセス 2011 年 10 月 14 日）

3章　図書館協力

● 日本図書館協会図書館ハンドブック編集委員会編『図書館ハンドブック』第 5 版　日本図書館協会，1990，p.383-384，392-417

● 塩見昇編著『図書館概論』新訂版　日本図書館協会，2008（JLA 図書館情報学テキストシリーズ 2：1），p.31-34

● 植松貞夫編集／植松貞夫［ほか］共著『図書館概論』改訂　樹村房，2007（新・図書館学シリーズ 1），p.116-126

● 河井弘志，宮部頼子編『図書館概論』改訂 2 版　教育史料出版会，2009（新編図書館学教育資料集成 1），p.139-152

● 北嶋武彦『図書館概論』新訂　東京書籍，2005　（新現代図書館学講座 2），p.251-258

● 小田光宏編著『図書館サービス論』日本図書館協会，2010（JLA 図書館情報学テキストシリーズ 2：3），p.48-56，80-85

● 前島重方［ほか］共著『図書館活動』改訂版　樹村房，1995（図書館学シリーズ 6），p.138-160

● 高山正也編著／池内淳［ほか］共著『図書館サービス論』改訂　樹村房，2005（新・図書館学シリーズ 3），p.48-56，80-85

● 塩見昇編『図書館サービス論』補訂 3 版　教育史料出版会，2008（新編図書館学教育資料集成 3），p.158-173
● 前園主計編著『図書館サービス論』新訂 東京書籍，2009（新現代図書館学講座 4），p.141-162
● 高山正也／加藤修子［ほか］共著『図書館経営論』改訂 樹村房，2002（新・図書館学シリーズ 2），p.121-131
●『平成 20 年度 新任図書館長研修講義要綱』［図書館情報大学］，2008，p.110-118
● 図書館の仕事作成委員会著『知っておきたい図書館の仕事』エルアイユー，2003，p.14-15
● 大学図書館の仕事制作委員会編『知っておきたい大学図書館の仕事』エルアイユー，2006，p.52-57，62-65
● 大野友和編『大学図書館がゼロからわかる本』日本図書館協会，2005，p.225-239
● 安江明夫著『公共図書館と協力保存』けやき出版，2009（多摩デポブックレット 1），p.28-38
● 時実象一，小野寺夏生，都築泉著『情報検索の知識と技術』新訂　情報科学技術協会，2010，p.146

● 井元有里　「滋賀県立図書館の協力業務とこれから　市立図書館の視点から」『みんなの図書館』No.362　2007.6，p.14-19
● 谷口いづみ「都道府県立図書館と市町村立図書館のよりよい連携のために」『みんなの図書館』No.362　2007.6，p.10-13
● 時実象一「電子ジャーナルの動向」『専門図書館』No.194　2002.7，p.1-9
● 済賀宣昭「図書館コンソーシアムと学術情報コミュニケーション」『情報の科学と技術』情報科学技術協会 vol.52 No.5　2002，p.256-261
● 伊藤義人「国立大学図書館協議会のコンソーシアム構想について」『情報の科学と技術』情報科学技術協会 vol.52 No.5　2002，p.262-265
● 北克一「電子ジャーナルと図書館コンソーシアム」『情報の科学と技術』情報科学技術協会 vol.52 No.5　2002，p.278-284

● 私立大学図書館協会「私立大学図書館協会 阪神地区協議会　相互利用活動」
http://www.jaspul.org/w-kyogikai/hanshin/hanshin_ill.html（アクセス 2010 年 10 月 12 日）
● 国立情報学研究所「目録所在情報サービス」
http://www.nii.ac.jp/CAT-ILL/archive/stats/cat/org.html（アクセス 2011 年 10 月 14 日）
● 日本資料専門家欧州協会（EAJRS），2006　Conference，発表者 NII「Catalogue Information Service. NACSIS-CAT & NACSIS-ILL」
http://eajrs.net/2006_conference/first_session（アクセス 2010 年 9 月 24 日）
● 茨城県図書館協会，平成 19 年度　図書館職員研修会報告　「平成 19 年度　第 2 回　中堅職員研修会（報告）」
www.lib.pref.ibaraki.jp/home/ila/kensyu/19/19tyuuken_2_houkoku.doc（アクセス 2010 年 9 月 24 日）
● 滋賀県立図書館「平成 22 年度滋賀県立図書館事業概要」
http://www.shiga-pref-library.jp/d_outline/cm_outline.cfm（アクセス 2010 年 9 月 24 日）
● 南山大学「CAN 私立大学コンソーシアム」
http://www.nanzan-u.ac.jp/TOSHOKAN/consortium/can/CANconsortium.html#top（アクセス 2010 年 9 月 24 日）
● 多摩アカデミックコンソーシアム図書館部会「TAC 図書館サービス」
http://www-lib.icu.ac.jp/TAC/index.html（アクセス 2010 年 9 月 24 日）
● 大学コンソーシアム京都「財団法人大学コンソーシアム京都共通閲覧システム　参加大学・短期大学図書館一覧」
http://www.consortium.or.jp/contents_detail.php?frmId=428（アクセス 2010 年 9 月 24 日）
● 国立国会図書館「3. 電子ジャーナル・コンソーシアムの現状」
http://current.ndl.go.jp/node/2198（アクセス 2010 年 9 月 24 日）
● 国立国会図書館「CA1553 −動向レビュー：図書館コンソーシアムのライフサイクル」
http://current.ndl.go.jp/ca1553（アクセス 2010 年 9 月 24 日）

● 関西大学 図書館「私立大学図書館コンソーシアム（PULC）の形成に関わって」
http://web.lib.kansai-u.ac.jp/library/about/lib_pub/forum/2004_vol9/2004_03.pdf（アクセス 2010 年 9 月 24 日）
● 阪神地区協議会「阪神地区分担保存誌　新聞・週刊誌」
http://www.jaspul.org/w-kyogikai/hanshin/hanshin_ill_buntanhozonshilist.pdf（アクセス 2011 年 10 月 14 日）
● 読売新聞「SPECIAL REPORT：キャンパスナウ：教育× WASEDA ONLINE」
http://www.yomiuri.co.jp/adv/wol/campus/spreport_1005_02.htm（アクセス 2010 年 9 月 24 日）
● 日本医学図書館協会「電子ジャーナル・コンソーシアム」
http://plaza.umin.ac.jp/~jmla/ejbuntan/ej/index.html（アクセス 2012 年 7 月 1 日）
● 日本医学図書館協会「分担購入活動」
http://plaza.umin.ac.jp/~jmla/ejbuntan/buntan/index.html（アクセス 2012 年 7 月 1 日）
● 国立大学図書館協会「電子ジャーナル・コンソーシアム活動報告書（平成 21 年度）」
http://www.soc.nii.ac.jp/janul/j/projects/ej/（アクセス 2010 年 10 月 9 日）

4章　図書館資料

● 図書館用語辞典編集委員会編『最新図書館用語大辞典』柏書房，2004
● 日本図書館協会図書館ハンドブック編集委員会編『図書館ハンドブック』第 6 版　日本図書館協会，2005，p.194-197，233-259
● 馬場俊明編著『図書館資料論』日本図書館協会，2008（JLA 図書館情報学テキストシリーズ 2 : 7），p.10-43, 50-125
● 平野英俊［ほか］『図書館資料論』改訂　樹村房，2004（新・図書館学シリーズ 7），p.3-58
● 小黒浩司編著『図書館資料論』新訂　東京書籍，2008（新現代図書館学講座 8），p.13-39
● 志保田務［ほか］編著：平井尊士［ほか著］『資料・メディア総論』第 2 版　学芸図書，2007，p.17-57
● 伊藤民雄著『図書館資料論・専門資料論』学文社，2006（図書館情報学シリーズ 5），p.6-42
● 郡司良夫著『図書館資料論』勉誠出版，2003（図書館情報学の基礎 7），p.1-106, 147-162

● 国立国会図書館「NDL　OPAC　国立国会図書館　蔵書検索・申込システム」
https://ndlopac.ndl.go.jp（アクセス 2012 年 7 月 2 日）
● YOMIURI ONLINE（読売新聞）「ヨミダス文書館」
http://www.yomiuri.co.jp/bunshokan/（アクセス 2012 年 7 月 2 日）
● YOMIURI ONLINE（読売新聞）「ヨミダス歴史館」
http://www.yomiuri.co.jp/rekishikan/（アクセス 2012 年 7 月 2 日）
● OYA SOICHI LIBRARY「Web OYA-bunko」
http://www.oya-bunko.com/（アクセス 2012 年 7 月 2 日）

5章　図書館資料の収集と蔵書構成

● 日本図書館協会図書館ハンドブック編集委員会編『図書館ハンドブック』第 6 版　日本図書館協会，2005，p.118-221
● 馬場俊明編著『図書館資料論』日本図書館協会，2008（JLA 図書館情報学テキストシリーズ 2 : 7），p.156-158, 181-189, 222-235, 246-253
● 平野英俊編著：岸美雪，岸田和明，村上篤太郎共著『図書館資料論』改訂　樹村房，2004（新・図書館学シリーズ 7），p.59-74, 88-100
● 小黒浩司編著『図書館資料論』新訂　東京書籍，2008（新現代図書館学講座 8），p.195-204
● 志保田務［ほか］編著：平井尊士［ほか著］『資料・メディア総論』第 2 版　学芸図書，2007，p.77-109

- 伊藤民雄著『図書館資料論・専門資料論』学文社，2006（図書館情報学シリーズ5），p.143-148
- 日本図書館協会『利用のための資料保存』日本図書館協会，1997，p.4-11

- 国立国会図書館「ようやく軌道に乗ったLCの大量脱酸処理」http://current.ndl.go.jp/taxonomy/term/115（アクセス 2012年6月10日）

6章　出版流通システム

- 日本図書館協会図書館ハンドブック編集委員会編『図書館ハンドブック』第6版　日本図書館協会，2005，p.202-206
- 馬場俊明編著『図書館資料論』日本図書館協会，2008（JLA図書館情報学テキストシリーズ2：7），p.130-144
- 平野英俊［ほか］『図書館資料論』改訂　樹村房，2004（新・図書館学シリーズ7），p.153-160
- 後藤暢，松尾昇治編『図書館資料論』改訂版 教育史料出版会，2007（新編図書館学教育資料集成5），p.39-42
- 小黒浩司編著『図書館資料論』新訂　東京書籍，2008（新現代図書館学講座8），p.213-220
- 志保田務［ほか］編著；平井尊士［ほか著］『資料・メディア総論』第2版　学芸図書，2007，p.60-76
- 伊藤民雄著『図書館資料論・専門資料論』学文社，2006（図書館情報学シリーズ5），p.45-61
- 郡司良夫著『図書館資料論』勉誠出版，2003（図書館情報学の基礎7），p.163-170
- 『よくわかる出版流通のしくみ』改訂版　メディアパル 2009，p.2-5, 18-27

7章　図書館サービス

- 日本図書館協会図書館ハンドブック編集委員会編『図書館ハンドブック』第6版　日本図書館協会，2005，p.62-113
- 小田光宏編著『図書館サービス論』日本図書館協会，2010（JLA図書館情報学テキストシリーズ2：3），p.10-12, 54-62, 88-117, 130-141, 144-161, 166-185, 190-214, 230-236
- 高山正也編著／池内淳［ほか］共著『図書館サービス論』改訂 樹村房，2005（新・図書館学シリーズ3），p.25-47, 90-114
- 前島重方［ほか］共著『図書館活動』改訂版　樹村房，1995 図書館学シリーズ6），p.81-101, 119-137
- 前園主計編著『図書館サービス論』新訂 東京書籍，2009（新現代図書館学講座4），p.48-52, 57-76, 79-80, 83-98, 104-110, 117-128
- 田村俊作編著『情報サービス概説』東京書籍，1998（新現代図書館学講座5），p.152-162
- 木本幸子編；木本幸子［ほか］共著『レファレンスサービス演習』改訂　樹村房，2004（新・図書館学シリーズ5），p.1-2
- 日本図書館協会図書館利用教育委員会編『情報リテラシー教育の実践』日本図書館協会，2010，p.121-122
- 大学図書館の仕事制作委員会編『知っておきたい大学図書館の仕事』エルアイユー，2006，p.28-35, 48-59, 70-71
- 図書館の仕事作成委員会著『知っておきたい図書館の仕事』エルアイユー，2003，p.26-39, 42-49, 70-73
- 藤田節子著『図書館活用術』新訂 日外アソシエーツ，2002，p.54-61, 175
- 大野友和編『大学図書館がゼロからわかる本』日本図書館協会，2005，p.53-56, 85-95
- 日本図書館協会障害者サービス委員会編『すべての人に図書館サービスを』日本図書館協会，1994，p.14-65
- 近畿視覚障害者情報サービス研究協議会編『視覚障害者サービスマニュアル2007』読書工房，2006，p.18-54, 66-108, 150-171
- 公共図書館で働く視覚障害職員の会編著『見えない・見えにくい人も「読める」図書館』読書工房，2009，p.54-55, 73-75, 96, 122-123, 154-156, 171
- 日本図書館協会障害者サービス委員会 聴覚障害者に対する図書館サービスを考えるワーキンググループ編『聴覚障害者も使える図書館に』改訂版　日本図書館協会，1998，p.19-27

- 日本図書館協会障害者サービス委員会編『「図書館利用に障害のある人々へのサービス」全国調査報告書1998年調査』日本図書館協会，1999，p.3-29
- 日本図書館協会障害者サービス委員会編『図書館が変わる』日本図書館協会，2001，p.88-124
- 日本図書館協会障害者サービス委員会編『障害者サービスの今をみる』日本図書館協会，2006，p.4-18
- 金沢みどり著『児童サービス論』学文社，2006（図書館情報学シリーズ7），p.46-49, 115-141
- 日本図書館協会多文化サービス委員会編『多文化サービス入門』日本図書館協会，2004（JLA図書館実践シリーズ2），p.2-31, 46-76, 127-136
- 藤澤和子，服部敦司編著『LLブックを届ける』読書工房，2009，p.6-13

- 日本点字図書館「サピエ」
  https://www.sapie.or.jp/（アクセス 2010年10月7日）
- 日本点字図書館「サピエ図書館」
  https://library.sapie.or.jp/cgi-bin/CN1MN1?S00101=S00MNU01（アクセス 2010年10月7日）

8章　図書館サービスと著作権

- 小田光宏編著『図書館サービス論』日本図書館協会，2010（JLA図書館情報学テキストシリーズ2：3），p.138-141
- 高山正也／池内淳［ほか］共著『図書館サービス論』改訂　樹村房，2005（新・図書館学シリーズ3），p.115-135
- 前園主計編著『図書館サービス論』新訂　東京書籍，2009（新現代図書館学講座4），p.168-188

- 日本図書館協会著作権委員会編『図書館サービスと著作権』改訂第3版　日本図書館協会，2007（図書館員選書10），p.15-125
- 日本図書館協会著作権問題委員会編著『図書館活動と著作権Q&A』日本図書館協会，2000
- 黒澤節男著『図書館と著作権』改訂　著作権情報センター，2012（ケーススタディ著作権3）
- 黒澤節男著『Q&Aで学ぶ図書館の著作権基礎知識』第3版　太田出版，2011（ユニ知的所有権ブック12），p.28-36
- 神谷信行著『大学生と著作権』ナカニシヤ出版，2006，p.73

- JLA著作権問題委員会ビデオ専門委員会「ビデオ上映問題について皆様のご意見を」『図書館雑誌』1996年12月 vol.90 No.12，p.1002
- 「日本図書館協会と日本映像ソフト協会　映画上映会に関して「了解事項」に調印」『図書館雑誌』1998年8月 vol.92 No.8，p.601-602
- 「合意事項」『図書館雑誌』2002年1月　vol.96 No.1，p.70-71
- 前田章夫＜基調報告＞「著作権法改正が図書館に与える影響について」『図書館界』2010年5月　vol.62 No.1 通号352，p.34
- 常世田良，家禰淳一，立花明彦，北西英里「著作権法改正と障害者サービスの展望」『図書館界』2010年7月　vol.62. No.21，p.148
- 南亮一「2009年著作権法改正によって図書館にできるようになったこと障害者サービスに関して」『図書館雑誌』2010年7月　vol.104 No.7
- 「第8分科会　著作権法の改正と情報の流通」『図書館雑誌』2010年8月　vol.104. No.8 通号1041，p.488
- 山本順一「2009（平成21）年　著作権法改正と図書館サービス」『図書館雑誌』2010年3月　vol.104. No.3 通号1036，p.159
- 文化庁長官官房著作権課「霞が関だより（第76回）平成21年通常国会で成立した著作権法の一部を改正する法律について」『図書館雑誌』2010年1月　vol.104 No.1，p.33

● 佐藤聖一「図問研のページ　改正著作権法と図書館の現状（1）改正著作権法の概要」『みんなの図書館』2010年8月 通号400，p.85

● 文化庁「平成21年通常国会　著作権法改正等について」
http://www.bunka.go.jp/chosakuken/21_houkaisei.html（アクセス2010年12月11日）
● 社団法人日本図書館協会「図書館の障害者サービスにおける著作権法第37条第3項に基づく著作物の複製等に関するガイドライン」
http://www.jla.or.jp/20100218.html（アクセス2010年12月11日）
● 財団法人日本障害者リハビリテーション協会「DAISYの紹介DVD」
http://www.dinf.ne.jp/doc/daisy/book/daisy_dv.html（アクセス2010年12月11日）
● 日本図書館協会「図書館の障害者サービスにおける著作権法第37条第3項に基づく著作物の複製等に関するガイドライン」
http://www.jla.or.jp/portals/0/html/20100218.html（アクセス2012年7月2日）

9章　目録

● 日本図書館協会図書館ハンドブック編集委員会編『図書館ハンドブック』第6版　日本図書館協会，2005，p.302-318
● 日本図書館協会目録委員会編『日本目録規則1987年版』改定3版 日本図書館協会，2006
● 柴田正美著『資料組織概説』日本図書館協会，2008（JLA図書館情報学テキストシリーズ2：9），p.41-200
● 吉田憲一編著；野口恒雄［ほか］共著『資料組織演習』日本図書館協会，2007（JLA図書館情報学テキストシリーズ2：10），p.16-51, 82-103
● 田窪直規［ほか］共著『資料組織概説』三訂　樹村房 2007（新・図書館学シリーズ9），p.4-69
● 北克一，村上泰子共著『資料組織演習：書誌ユーティリティ，コンピュータ目録』改訂2版　エム・ビーエー，2008（シリーズ・図書館とメディア2），p.30-43, 81-86, 111-112
● 古川肇著『資料組織概説』改訂版　佛教大学通信教育部，2004，p.9-62, 138-143, 189-193
● 新藤透著『資料目録法基礎演習』誠道書店，2007（誠道学術叢書1），p.7-15, 30-31, 46-49, 61-64
● 平井尊士，藤原是明著『資料組織演習』勉誠出版，2003（図書館情報学の基礎9）
● 緑川信之著『本を分類する』勁草書房，1996，p.57, 85
● 藤野幸雄，荒岡興太郎，山本順一著『図書館情報学入門』有斐閣，1997，p.138-148
● 藤田節子著『図書館活用術』新訂 日外アソシエーツ，2002，p.68-80
● 大野友和編『大学図書館がゼロからわかる本』日本図書館協会，2005，p.100-104
● 池田祥子著『文科系学生のための文献調査ガイド』青弓社，1995，p.13-20

10章　分類法

● もり・きよし原編，日本図書館協会分類委員会 改訂『日本十進分類法』新訂10版　日本図書館協会，2014
● 日本図書館協会図書館ハンドブック編集委員会編『図書館ハンドブック』第6版　日本図書館協会，2005，p.327-328
● 柴田正美著『資料組織概説』日本図書館協会，2008（JLA図書館情報学テキストシリーズ2：9），p.201-204, 210-226, 235-237
● 今まど子，西田俊子共著『資料分類法及び演習』第二版　樹村房，1999（新・図書館学シリーズ14），p.24-29, 54-61, 77-86
● 田窪直規［ほか］共著『資料組織概説』三訂　樹村房 2007（新・図書館学シリーズ9），p.110-129
● 古川肇著『資料組織概説』改訂版　佛教大学通信教育部，2004，p.83-104, 146

● 森清編『NDC 入門』日本図書館協会，1982（図書館員選書 2），p.28-43
● 鮎澤修著『分類と目録』日本図書館協会，1995（図書館員選書 20），p.59-68
● 千賀正之著『図書分類の実務とその基礎』改訂版 日本図書館協会，1997，p.61-74
● 藤田節子著『図書館活用術』新訂 日外アソシエーツ，2002，p.81-82

11 章　司書の養成教育

● 日本図書館協会図書館ハンドブック編集委員会編『図書館ハンドブック』第 6 版　日本図書館協会，2005，p.350-360，362-370
● 塩見昇編著『図書館概論』新訂版 日本図書館協会，2008（JLA 図書館情報学テキストシリーズ 2：1），p.35-38
● 植松貞夫編集／植松貞夫［ほか］共著『図書館概論』改訂 樹村房，2007（新・図書館学シリーズ 1），p.148-152
● 河井弘志，宮部頼子編　『図書館概論』改訂 2 版　教育史料出版会，2009（新編図書館学教育資料集成 1），p.67-68
● 塩見昇編著『図書館員への招待』三訂版　教育史料出版会，2004，p.54-64, 90-99, 112-126, 134
● 森智彦著『司書・司書教諭になるには』ぺりかん社，2002，p.72, 128-141
● 今まど子著『司書養成の諸問題』中央大学人文科学研究所，2003（人文研ブックレット 14），p.43-58

● 高山正也「これからの専門職図書館員養成のあり方−糸賀・根本両論に加えて−」『図書館雑誌』2008.3 月　Vol.102 No.3，p.150-152
● 柴田正美「省令科目をふりかえる」『図書館雑誌』2009.4 月　Vol.103 No.4，p.216-219
● 吉井潤「現場から考えるこれからの司書の専門性とその役割」『図書館雑誌』2008.5 月　Vol.102 No.5，p.286-287
● 日本図書館協会図書館学教育部会「司書資格取得者の就職状況等に関する調査についての報告」『日本図書館協会図書館学教育部会会報』2003 年 9 月　No.67，p.6-8

● 国立国会図書館「採用試験について」
http://www.ndl.go.jp/jp/employ/exam.html（アクセス 2012 年 6 月 21 日）
● 近畿地区国立大学法人等職員統一採用試験実施委員会「近畿地区国立大学法人等職員統一採用試験」
http://www.kyoto-u.ac.jp/siken/（アクセス 2012 年 6 月 21 日）

実務編　日本十進分類法

● 日本図書館協会図書館ハンドブック編集委員会編『図書館ハンドブック』第 6 版　日本図書館協会，2005，p.327-328
● もり・きよし原編，日本図書館協会分類委員会 改訂『日本十進分類法』新訂 10 版　日本図書館協会，2014
● 森清編『NDC 入門』日本図書館協会，1982（図書館員選書 2），p.72-73
● 鮎澤修著『分類と目録』日本図書館協会，1995（図書館員選書 20），p.27-37
● 千賀正之著『図書分類の実務とその基礎』改訂版 日本図書館協会，1997，p.68-74
● 今まど子［ほか］共著『資料分類法及び演習』樹村房　1984（図書館学シリーズ 5），p.68-74
● 今まど子，西田俊子共著『資料分類法及び演習』第二版　樹村房，1999（新・図書館学シリーズ 14），p.83-86
● 田窪直規［ほか］共著『資料組織概説』三訂　樹村房 2007（新・図書館学シリーズ 9），p.121-129
● 柴田正美著『資料組織概説』日本図書館協会，2008（JLA 図書館情報学テキストシリーズ 2：9），p.201-203
● 古川肇著『資料組織概説』改訂版　佛教大学通信教育部，2004，p.86-97

実務編　基本的なオンラインレファレンスツール

●図書館の仕事作成委員会著『知っておきたい図書館の仕事』初版　エルアイユー，2003，p.88

●西岡達裕著『オンライン情報の学術利用：文献探索入門：論文・レポートの手引きに！』日本エディタースクール出版部，2008，p.36-47

●木本幸子［ほか］共著『レファレンスサービス演習』（新・図書館シリーズ 5）改訂第 6 刷　樹村房，2011，p.17

●木本幸子著『図書館で使える情報源と情報サービス』日外アソシエーツ，2010，p.147

●伊藤民雄著『インターネットで文献探索』日本図書館協会，2010（JLA 図書館実践シリーズ 7），p.2

●丸山昭二郎編『主題情報へのアプローチ』雄山閣出版，1990（講座図書館の理論と実際 4），p.161-163

●田窪直規［ほか］共著『資料組織概説』（新・図書館学シリーズ 9）三訂第 3 刷　樹村房，2009，p.84-86

●大串夏身，田中均著『インターネット時代のレファレンス　実践・サービスの基本から展開まで』日外アソシエーツ，2010，p.57-68

●大串夏身著『これからの図書館：21 世紀・知恵創造の基盤組織』増補版　青弓社，2011，p.120-139

●図書館用語辞典編集委員会編『最新図書館用語大辞典』柏書房，2004

●藤田節子著『キーワード検索がわかる』ちくま新書 685，2007，p.135-168

●島根大学編『学術情報リテラシー　情報活用能力の向上のために』改訂第 1 版，島根大学，2010，p.70-78

●川瀬綾子，北克一「三大都市圏の公立図書館横断検索機能の比較・検証：東京都，愛知県，大阪府」『情報学』7(1)，2010，p.47

●小田光宏「公立図書館におけるレファレンスサービスの課題～実態調査報告書に基づく分析と創造的展開に向けての視座～」『2004 年度公立図書館におけるレファレンスサービスの実態に関する研究報告書』全国公共図書館協議会，2005，p.3-56

●国立国会図書館「オンラインサービス一覧」（アクセス：2012 年 6 月 20 日）
http://www.ndl.go.jp/jp/service/online_service.html

図書館のしごと よりよい利用をサポートするために 第2版

HOW LIBRARY WORKS IN JAPAN
For Supporting Its Better Use

2013年6月21日 初版第1刷発行
2021年8月10日 第2版1刷発行
2022年10月11日 第2版2刷発行

監修（五十音順）

川戸理恵子	（鹿児島女子短期大学 教養学科 准教授）
小林卓	（元・実践女子大学 文学部 図書館学課程 准教授）
中山愛理	（大妻女子大学 短期大学部 准教授）

編集（五十音順）

亀井元子	（国際交流基金関西国際センター日本語教育専門員）
畠中朋子	（元・国際交流基金関西国際センター専任司書）
浜口美由紀	（長崎純心大学人文学部）

執筆（五十音順）

亀井元子	（国際交流基金関西国際センター日本語教育専門員）
登里民子	（国際交流基金アジアセンター日本語教育専門員）

英文校閲

浜田盛男	（元・京都産業大学 外国語学部 客員教授）

編著者
独立行政法人国際交流基金関西国際センター

発行所
有限会社読書工房
〒171-0031
東京都豊島区目白3-13-18 ウィング目白102
電話：03-5988-9160
ファックス：03-5988-9161
https://www.d-kobo.jp/

制作スタッフ
岸川哲郎

表紙・本文イラスト
鴨下速人

本文デザイン
西澤美帆（有限会社ラスコー）

表紙デザイン
諸橋 藍

組版・印刷・製本
あづま堂印刷株式会社

 読書工房の本

多様性と出会う学校図書館
── 一人ひとりの自立を支える合理的配慮へのアプローチ

野口武悟、成松一郎・編著　Ａ５判　184 ページ　●定価：1,800 円＋税

本書は、学校図書館が、一人ひとりの子どもの特性や思いに寄り添いながら、自立的な生き方をサポートするための基本的な考え方を提案し、それぞれの現場で「合理的配慮」を実践していくためのヒントやアイディアを提供する書籍です。　ISBN978-4-902666-35-9

一人ひとりの読書を支える学校図書館
── 特別支援教育から見えてくるニーズとサポート

野口武悟・編著　Ａ５判・222 ページ　●本体 2,000 円＋税

特別支援学校、特別支援学級、通常学級に在籍する、特別なニーズのある子どもたちに豊かな読書活動を提供している学校図書館の実践を報告するとともに、ニーズに対応したサポート方法・メディア活用例を解説します。　ISBN978-4-902666-24-3

多文化に出会うブックガイド

世界とつながる子どもの本棚プロジェクト・編

Ａ５判・カラー・280 ページ　●本体 1,800 円＋税

「グローバル化」が進み、さまざまな文化（多文化 =multi-culture）がますますまじりあっていくであろう 21 世紀の社会への「扉」を開いてくれるような、絵本や児童文学、ノンフィクション、写真集、学習図鑑など、幼児から高校生に読んでほしい 655 タイトル（シリーズを含む）を紹介するブックガイドです。　ISBN978-4-902666-25-0

からだといのちに出会うブックガイド

健康情報棚プロジェクト＋からだとこころの発見塾・編

Ｂ５判・244 ページ　●本体 2,400 円＋税

図書館員、ジャーナリスト、医療・患者会関係者などがキーワードごとに選んだ「読みたい」「読んでほしい」「棚に揃えたい」絵本・エッセイ・写真集など 179 冊を紹介。　ISBN978-4-902666-19-9